Sommaire

Solaris 176 en ligne (www.revue-solaris.com)

Né en France en 1981, Grégory Fromenteau étudie en Arts et Littérature, avant de commencer sa carrière dans le dessin animé. Il travaille notamment sur de nombreuses séries diffusées sur la scène internationale (Code Lyoko, L'Homme invisible…). Quelques années plus tard, il s'installe à Montréal afin de travailler dans le milieu du jeu vidéo. Il travaille également sur de grosses productions (Iron Man, Prince of Persia, Avatar…) à différents postes, tels qu'éclairagiste, directeur artistique et illustrateur. Il est toujours dans ce domaine à l'heure actuelle. En parallèle du jeu vidéo, il continue d'exploiter sa passion pour le dessin en réalisant des couvertures de livres pour différentes maisons d'éditions. Vous pouvez découvrir son travail sur son site Internet: http://www.greg-f.com/.

Illustrations

Karine Charlebois : 7
Suzanne Morel : 117, 138
Michael Jo Peter : 63, 87

Ce numéro est dédié à
Jacques BROSSARD
1933—2010

Prix Solaris 2011

Le Prix Solaris s'adresse aux auteurs de nouvelles canadiens qui écrivent en français, dans les domaines de la science-fiction, du fantastique et de la fantasy

Dispositions générales

Les textes doivent être inédits et avoir un maximum de 7 500 mots (45 000 signes). Ces derniers doivent être envoyés en trois exemplaires (des copies car les originaux ne seront pas rendus). Afin de préserver l'anonymat du processus de sélection, ils ne doivent pas être signés mais être identifiés sur une feuille à part portant le titre de la nouvelle ainsi que le nom et l'adresse complète de l'auteur, le tout glissé dans une enveloppe scellée. On n'accepte qu'un seul texte par auteur.

Les textes doivent parvenir à la rédaction de **Solaris**, au C.P. 85700, succ. Beauport, Québec (Québec) G1E 6Y6, et être identifiés sur l'enveloppe par la mention « Prix Solaris ».

La date limite pour les envois est le 18 mars 2011, le cachet de la poste faisant foi.

Le lauréat ou la lauréate recevra une bourse en argent de 1000 $. L'œuvre primée sera publiée dans **Solaris** en 2011.

Les gagnants (première place) des prix Solaris des deux dernières années, ainsi que les membres de la direction littéraire de **Solaris**, ne sont pas admissibles.

Le jury, formé de spécialistes, sera réuni par la rédaction de **Solaris**. Il aura le droit de ne pas accorder le prix si la participation est trop faible ou si aucune œuvre ne lui paraît digne de mérite. La participation au concours signifie l'acceptation du présent règlement.

Pour tout renseignement supplémentaire, contactez Pascale Raud, coordonnatrice de la revue, au courriel suivant:

raud@revue-solaris.com

Rédacteur en chef : Joël Champetier

Éditeur : Jean Pettigrew

Direction littéraire :
   Joël Champetier, Jean Pettigrew,
   Daniel Sernine et Élisabeth Vonarburg

Site Internet : www.revue-solaris.com

Webmestre : Christian Sauvé

Abonnements : voir formulaire en page 5

Publicité : Pascale Raud
solaris@revue-solaris.com
(418) 525-6890

Trimestriel : ISSN 0709-8863

Dépôt légal à la Bibliothèque nationale du Québec
Dépôt légal à la Bibliothèque nationale du Canada

Solaris est une revue publiée quatre fois par année par les Publications bénévoles des littératures de l'imaginaire du Québec inc. Fondée en 1974 par Norbert Spehner, **Solaris** est la première revue de science-fiction et de fantastique en français en Amérique du Nord.

Solaris reçoit des subventions du Conseil des arts du Canada, du Conseil des arts et des lettres du Québec et reconnaît l'aide financière accordée par le gouvernement du Canada pour ses coûts de production et dépenses rédactionnelles par l'entremise du Fonds du Canada pour les magazines.

Date d'impression : octobre 2010

Éditorial

Jacques Brossard : 1933 – 2010

Alors que nous complétions cette 176e édition de la revue, nous avons appris par l'entremise de notre ami Claude Janelle une bien triste nouvelle. Notre collègue écrivain Jacques Brossard, dont la santé était défaillante depuis plusieurs années, est décédé le 5 août dernier à l'Hôtel-Dieu de Montréal, la ville même où il est né. Sa carrière a été prestigieuse. Tour à tour diplomate, professeur, juriste, conseiller ministériel autant au gouvernement du Canada qu'à celui du Québec, il est aussi connu pour une œuvre littéraire diversifiée, constituée d'essais importants sur la jurisprudence et les questions constitutionnelles, mais aussi de fictions qui touchent au fantastique et à la science-fiction. C'est l'auteur du recueil **Le Métamorfaux**, véritable classique de nos littératures de l'imaginaire, et de **L'Oiseau de feu**, monumental et inclassable roman de science-fiction en cinq volumes – il a remporté avec le premier tome le Grand prix de la science-fiction et du fantastique québécois en 1990. Ce n'était pas le premier prix qu'il remportait, loin de là. Il a aussi reçu le Prix littéraire du Québec, section sciences sociales, en 1969 ; le Prix littéraire Lugder-Duvernay pour l'ensemble de son œuvre scientifique et littéraire en 1976 ; la Médaille d'argent de la ville de Paris en 1977. Depuis 2008 il retourne la faveur aux autres, si on me permet l'expression, puisque cette année-là le Grand prix de la SFFQ a été rebaptisé Prix Jacques-Brossard. J'en fus le premier lauréat, pour mon roman **Le Voleur des steppes** – on me pardonnera d'en éprouver une fierté particulière, et de conserver précieusement la lettre que m'avait écrite monsieur Brossard pour me féliciter de cet honneur. L'homme a passé, comme nous passerons tous, mais il me plaît de savoir que chaque année, à la remise du prix, nous prononcerons son nom. Plus important encore, l'œuvre demeure : je prédis que nous n'avons pas fini d'en explorer les richesses.

La vie continue…

La vie continue, et chaque édition de **Solaris** apporte sa contribution, modeste mais réelle, au corpus de la littérature française d'Amérique. Si le volet des fictions de ce numéro n'est constitué que de seulement trois textes, c'est parce qu'avec sa substantielle novella Philippe-Aubert Côté se réserve la part du lion du sommaire… ou, devrais-je plutôt dire, la part du loup. Vous comprendrez l'allusion à la lecture de ce texte ambitieux et plein d'imagination, qui confirme ce dont on se doutait déjà à la lecture du « Patient de l'interne Freud », dans **Solaris** 172 : Philippe-Aubert Côté est un des auteurs les plus intéressants de la relève en science-fiction.

Parlant d'auteurs de la relève, souhaitons la bienvenue à Frédéric Vacher, qui fait ses premiers pas pour qu'on puisse l'intégrer dans cette catégorie. En effet, il nous propose ici sa première nouvelle publiée – on se souviendra qu'il s'agissait d'un des textes finalistes de l'édition 2009 du Prix Solaris.

On souhaite également la bienvenue à Sean McMullen. Dans son cas on ne peut certes plus parler de relève, McMullen étant un auteur professionnel australien qui a publié plusieurs romans et nouvelles. Pour la petite histoire, nous nous étions rencontrés à la convention mondiale Anticipation qui s'est déroulée en août 2009 à Montréal. Ayant montré son intérêt pour **Solaris**, et ayant appris que nous publiions un auteur étranger dans chaque numéro, il nous a proposé cette surprenante histoire. S'agit-il de science-fiction ? De fantasy urbaine ? De réalisme magique ? Aux lecteurs de décider, mais une chose est assurée : on ne s'ennuie pas à la lire.

Deux articles complètent le sommaire. Mario Tessier, notre fidèle Futurible, nous convie à une visite guidée dans la tour de Babel de l'imaginaire, le sujet portant en effet sur les langues inventées, non seulement en science-fiction, mais dans le monde réel. Comme toujours, il se révèle un compagnon de voyage aussi aimable qu'érudit. Le second article est une proposition d'un nouveau collaborateur, Marc Ross Gaudreault. Il y a longtemps que nous n'avions pas consacré un article complet à une autre revue. Il faut dire que cette revue n'est pas n'importe laquelle puisqu'il s'agit de la vénérable **Amazing Stories**. L'article porte forcément sur son éditeur Hugo Gernsback et sur l'émergence de la science-fiction au début du siècle dernier, tous ces éléments étant inextricablement liés.

On complète le programme avec les chroniques habituelles qui permettent à nos lecteurs de garder un œil sur l'évolution du genre, que ce soit dans les « Lectures », « Les Littéranautes », les « Rayons de l'imaginaire » ou « Sci-néma », certaines de ces chroniques se retrouvant dans le volet papier, d'autres téléchargeables à partir de notre site Internet, mais *toutes* incluses dans la version numérique. Je ne possède pas encore de lecteur électronique – un aveu sans doute un peu gênant de la part du rédacteur en chef ! –, mais on m'assure que c'est très chouette de lire la revue en couleur sur un support à la fine pointe de la technologie tel le fameux iPad d'Apple. Qui sait, peut-être que d'ici le prochain numéro, que je prévois tout aussi intéressant que celui-ci, je pourrai en juger par moi-même…

Joël CHAMPETIER

Pour l'honneur d'un Nohaum

par **Philippe-Aubert CÔTÉ**

Karine Charlebois

1

Débordant des gradins, les Ourags excités inondent l'amphithéâtre d'odeurs musquées. Ter-Holf dresse le museau pour
mieux les flairer : en contrepoint, il décèle ces émanations
fantômes que laissent parfois sourdre les pierres, souvenirs des
disciples qui ont imprégné ces lieux de leur odeur.

Ter-Holf reporte son attention sur son adversaire. L'Ourag au
pelage rayé possède le tiers de son âge et pèse une fois et demie
son poids. Il l'a sélectionné pour ses exhalaisons monolithiques

de testostérone. Ter-Holf lui donne un bâton, en prend un pour lui-même, puis balaie les gradins bondés du regard : « Nous assignons à chaque être ses "sons propres", dit-il d'une voix forte. Un pour le stimuler, un pour le séduire, un pour le paralyser. Nous, Ourags, modulons une vaste gamme de sons qui peuvent paralyser ou distraire notre ennemi. »

Il claque des griffes. L'adversaire tente de lui faucher les jambes avec son bâton. Ter-Holf bondit par-dessus et atterrit à l'autre bout de l'arène. Au passage, il a lâché un cri dans les oreilles de son assaillant. Une seule impulsion percutante.

Son adversaire se fige.

Ter-Holf rebondit du premier gradin pour l'écraser au sol.

Un silence impressionné règne sur l'assistance, puis les applaudissements éclatent, mêlés d'aboiements admiratifs, comme des rires.

Alors qu'un médicaide accompagne le vaincu abasourdi, Ter-Holf passe une main dans sa crinière. Ces applaudissements… Comme les tirs répétés d'une arme. *Tir répété. Odeur de mort. Les Russes… Sa mère qui lui recommande de rester attentif aux sons de la forêt… de guetter l'arrivée des troupes de la mort de Verevkine…*

Ter-Holf s'ébroue et annonce la fin du cours.

Tandis que l'amphithéâtre se vide, un jeune Ourag se détache de la foule et descend vers lui. Un officier de la Chefferie, à en juger par son uniforme noir et ses décorations argentées, mélange d'insignes ourags et d'écussons de l'Union Néo-Européenne. Pelage gris strié de noir, crinière d'ébène, deux longues tresses qui partent des oreilles pointues et descendent de chaque côté des boutons fermant l'uniforme… Qui d'autre que le commandant Rowler ?

« Vous voir à l'œuvre me rappelle mon passage sur ces gradins », lui dit le jeune officier en souriant.

Les deux Ourags se saisissent l'épaule gauche et glissent leur museau au creux du cou, dans une étreinte fraternelle. L'odeur de Rowler est toujours aussi bigarrée, dominée par ce musc de mâle robuste. Au flair, sa santé et sa force semblent encore bonnes.

« Tes fesses devaient être douloureuses, avec tous les coups de bâtons que j'y ai donnés, Rowler. Allons discuter dans mon bureau.

— Volontiers. »

Ter-Holf l'introduit dans ses quartiers spartiates. Il ne se lasse jamais des solides bâtiments anguleux de la citadelle d'Affnarr, perchés à même le flanc des Alpes, que l'on aperçoit par l'unique fenêtre. L'une des plus anciennes forteresses ouragues qui, après avoir prolongé vers le ciel chaque aspérité de la montagne, s'agrandit maintenant vers le bas. Une cité en croissance, dont les matériaux proviendront d'anciennes villes humaines.

Ter-Holf invite Rowler à prendre le siège du visiteur; lui-même s'installe dans son fauteuil préféré en posant ses bottes-sandales sur un tabouret. Le jeune officier promène un instant son regard sur les vieilles armes et les uniformes qui encombrent l'endroit. Il flaire la collection de crânes : « Humains ?

— Oui. Des adversaires durant la guerre. Des adversaires valeureux ou détestés. Quelles nouvelles m'apportes-tu ? »

Rowler sort une holofeuille de sa serviette et l'active.

« La Chefferie se réjouit que vous vous joigniez aux expéditions de recyclage. Celles-ci nous conduiront dans des territoires retournés à l'état sauvage depuis l'hyperchaos et nous manquons de bons chefs de sécurité. Nous vous accordons votre souhait de joindre la mission de Moscou… Pourquoi Moscou ?

— Pour pisser sur la tombe de Verevkine, si on la trouve. »

Rowler aboie un rire : « Au sujet de votre… syndrome de stress post-traumatique. Je doute que votre épisode de torture par les Russes vous tourmente toujours, mais je dois poser la question : le fait de vous retrouver à Moscou risque-t-il de nuire à notre entreprise ?

— Je résiste à ces souvenirs, Rowler. Ne t'inquiète pas pour la tranquillité de l'expédition.

— Et de mon Ourague.

— Ton Ourague ?

— Ma promise sera votre commandante. Arhiann, la fille du chancelier Arnwalf… »

Le torse de Rowler se bombe avec une émanation de fierté.

« Tu n'as pas encore fondé ta lignée ? demande Ter-Holf.

— Après Moscou. C'est la dernière mission d'Arhiann. Elle regrettera de ne plus voyager, mais nous avons un pays à construire. Et à peupler. »

Ter-Holf se renfonce dans son fauteuil. Que ne donnerait-il pas pour assurer sa descendance avec une Ourague. Damnés soient les humains qui l'ont stérilisé, avec leurs armes chimiques !

« Cette Arhiann… C'est la fille d'Arnwalf, le chancelier "réformiste" ?

— Oui. Elle s'est illustrée dans des missions d'assistance aux communautés en détresse. Elle est qualifiée pour une mission bio-archéologique. »

Le comble ! Une jeune capitaine qui n'a dirigé que des missions de bienfaisance !

Rowler reprend : « Je vous laisserai toutes ces informations, mais voici l'essentiel. Vous serez responsable de la sécurité à bord du navire terrestre *Awernarr*, sous le commandement d'Arhiann. Vous aurez sous votre commandement dix-huit Ourags – soit trois sergents dirigeant chacun une équipe de cinq soldats. Il y aura l'équipage habituel : navigateurs, ingénieurs, cuisiniers, personnel médical… Plus une section "biologie" de quatre scientifiques pour étudier les "fantômes". Ces fantômes vous inquiètent-ils ?

— Je ne crois pas au surnaturel, répond Ter-Holf. Il y a une explication rationnelle.

— C'est aussi mon avis, même si le phénomène a de quoi troubler. Pensez-y : par deux fois, des néomorphes terrassés par d'étranges visions dans les anciens pays postsoviétiques, comme si les lieux projetaient leurs souvenirs pour chasser les intrus… Espérons que notre expédition sera plus chanceuse que les précédentes. L'équipe scientifique chargée d'étudier le phénomène sera dirigée par un Phyto, le docteur Bolster.

— Un Phyto. Nous devrons éviter les légumes au dîner. »

Ils rient. « Enfin, poursuit Rowler, la section "archéologie", chargée de cartographier Moscou en vue de son recyclage. Composée d'apprentis ourags, elle sera coordonnée par un ethno-archéologue qui a participé au recyclage de plusieurs villes… Neptah Horakthy. Il nous vient d'outre-Atlantique : l'Hégémonie Néo-Américaine nous le prête comme instructeur.

— Neptah… Horakthy ? Ce nom de famille…

— C'est un Nohaum, du nord de l'Hégémonie.

— Ah, murmure Ter-Holf.

— Un problème ?

— Non. Enfin… Je me méfie des Nohaums.

— Ils effraient, mais…

— Ce n'est pas qu'ils m'effraient. Ils sont… Je ne sais pas. Des ordinateurs vivants incapables de se reproduire sans machines, qui déduisent votre "schème émotionnel" grâce à leur "cryptovision" alors que vous, vous ignorez s'ils vous maudissent derrière leur masque…

— Ils me déconcertent aussi, concède Rowler avec une petite grimace. Un dernier détail. Comme nous en avons discuté, vous assurerez le commandement de l'*Awernarr* en cas de problème. Je n'ai rien d'autre à ajouter. Le départ aura lieu dans un mois et demi, début juin. Le réchauffement a diminué la longueur et l'intensité de l'hiver russe, mais tenons pour acquis que l'été dure de juin à août. Des questions ?

— Je peux rapporter le crâne de Verevkine, si je le trouve ? »

✦

Laissant au cyborg le soin d'installer la statue du général Lee dans la soute du coléoptère, Neptah scrute le ciel obscurci. Alors qu'un tonnerre avant-coureur roule au loin, quelques pieds-de-vents trouent la couche nuageuse, caressant de leurs faisceaux lumineux les décombres de la Nouvelle-Orléans.

« Magnifique et lugubre, tu ne trouves pas ? lance Neptah au cyborg.

— Je trouve surtout qu'il faut rentrer avant que le ciel ne nous tombe sur la tête. »

Neptah réprime un soupir. D'habitude, les cyborgs gardent en eux-mêmes leur dédain pour l'archéologie – un travail d'éboueurs, disent-ils – sauf celui-là, toujours pressé de rentrer. Comment les cyborgs peuvent-ils rester indifférents devant ces murs émiettés et ces cratères, toutes ces cicatrices qui racontent les affrontements passés entre humains et néomorphes ? À travers les borborygmes des nuages, on entend presque l'explosion des bombes, le crépitement des balles et la dégringolade des fragments de béton…

Quel enfer devait régner ici jadis – ici et sur toute la Terre. Les derniers humains parlaient "d'Apocalypse". Le terme retenu par les néomorphes est plus approprié : hyperchaos. Un chaos mondial, un enchaînement de guerres et de catastrophes climatiques qui avaient permis aux cyborgs, hommes-animaux et autres néomorphes de remplacer les humains. Cruelle ironie : c'était en partie pour empêcher une posthumanité de naître que les humains avaient déclenché ces guerres.

« Général Lee arrimé, dit le cyborg en refermant la soute. Tu as fini ton inspection ? »

Sans répondre, Neptah avance au centre de la clairière et passe en mode cryptovision. La végétation lui paraît soudainement impressionniste, révélant sous l'humus devenu translucide une couche d'asphalte morcelée. Un ancien carrefour giratoire, dominé autrefois par le général sudiste. Rien d'intéressant à espérer en dehors de cette sculpture.

Déçu, Neptah revient en vision normale et retourne au coléoptère – un engin qui porte bien son nom, trapu comme un scarabée sur ses petits trains d'atterrissage. Neptah glisse un tube de nutrifluide dans sa bouche à travers les fentes de son masque. S'échiner à extraire une statue des ronces mérite bien une friandise.

« L'orage approche, s'impatiente le cyborg. Tu veux que la foudre nous grille ? »

Quel grognon, celui-là ! Neptah a à peine le temps d'embarquer que l'étroit cockpit se referme. Le cyborg actionne les moteurs : sifflement de l'hélium emplissant la charpente creuse du coléoptère, oscillations lorsque celui-ci s'arrache du sol, vrombissements du propulseur vertical… Neptah regarde la clairière s'éloigner, puis reporte son attention vers l'avant lorsqu'ils dépassent la cime des arbres. Les pieds-de-vents relient toujours la terre au ciel, gigantesques piliers de lumière entre lesquels le coléoptère se faufile, minuscule.

Au loin, la masse du léviathan occupe l'horizon obscurci. De loin, il ressemble à un gigantesque animal annelé qui aurait rampé hors du Mississippi pour se repaître de la Nouvelle-Orléans. *Léviathan*. Un autre nom approprié – et doublement ! – pour la gigantesque station de recyclage. Nul besoin, pour Neptah, de consulter ses mémoires externes pour se rappeler : depuis le début des opérations de recyclage, le plus humble des néomorphes connaît ce serpent titanesque échappé des mythologies humaines. Léviathan, le dévoreur de mondes. Oui. Les unités mobiles parcourent la Nouvelle-Orléans, pulvérisent les immeubles en ruine, les rues et les monuments sans valeur et rapportent les débris au léviathan qui les digère pour les restituer sous forme de poudre de béton, de lingots métalliques, de pâte de bois…

Navrant que les villes d'une race entière, fût-ce celle des humains, disparaissent recyclées. Navrant mais nécessaire : l'hyperchaos a tout ravagé et les néomorphes doivent construire leurs propres cités en exploitant au minimum des ressources terrestres déjà appauvries.

Un voyant clignote sur le tableau de bord. Sans négliger le pilotage, le cyborg annonce : « Psychom pour toi. Toth. »

Toth ? Neptah déroule un câble neural de sa manche et l'insère dans le psychom du tableau de bord. Fermer les yeux une seconde, laisser le contact s'établir, les rouvrir…

Une terrasse virtuelle remplace le cockpit. Table basse, chaises longues, une profusion de plantes. Les nouveaux gratte-ciel argentés de Montréal se découpent sur le soleil levant, le plus haut couronné de grues. Toth attend près du parapet, tourné de trois quarts. Vêtu d'une élégante vareuse pourpre, il hume l'air à travers son masque, ses mains gantées croisées dans le dos.

« Une psychom avec vous me déconcerte toujours, père, remarque Neptah. Ici, je ne peux voir à travers votre masque avec la cryptovision. J'ignore si vous souriez. »

Un rire jaillit du masque alors que Toth se retourne : « Je souris toujours en ta compagnie, fils. Comment vas-tu ? On me dit que tu récupères une vieille statue, ce matin ?

— Du général Lee. Celui de la première guerre de Sécession, en 1861. Il y a peu d'objets intéressants pour nos musées : le recyclage de la Nouvelle-Orléans est trop tardif. Végétation et humidité ont pourri les pièces dignes d'intérêt. »

Toth s'assoit en travers d'une des chaises longues, coudes appuyés sur les genoux et mains jointes à la hauteur de son masque. « Je veux te souhaiter bon voyage. Je suis vraiment fier que l'Hégémonie te prête à l'Union Néo-Européenne. Tu pars demain ?

— Oui. Je gagne d'abord Londres ; ensuite, le pays ourag. C'est une chance incroyable : voir les villes européennes qui ont façonné l'ancien Occident !

— Un de nos ambassadeurs auprès de l'Union m'a dit qu'aucun candidat ne voulait de la mission de Moscou, sauf toi. Pourquoi ? Cette mission est… particulière. Elle doit étudier les fameux fantômes…

— Ne vous inquiétez pas pour moi, père. Aucun de mes collègues ne craint ces prétendues visions. Ils rechignent plutôt à l'idée d'enseigner la cartographie aux Ourags.

— Les Ourags, bien sûr. Une race guerrière. Et fière jusqu'à l'arrogance.

— De la part de l'ancienne élite des soldats russes, l'humilité serait étonnante. Je suis disposé à les supporter parce qu'il y aurait encore des humains à Moscou. Je serais curieux d'étudier ceux-ci. »

Un grésillement. Des raies lumineuses traversent la terrasse. « Le psychom hoquette, dit Toth. C'est de mon bord ou du tien ?

— Il y a un orage sur la Nouvelle-Orléans. Ça doit interférer… »

Le grésillement se mue en un sifflement strident. Des formes translucides envahissent la terrasse. Quelle est cette sensation… Comme des pensées issues d'une présence. Une présence qui les épie. Un autre Nohaum. *Tephren ?*

Le sifflement disparaît avec les formes vaporeuses. Toth maugrée : « Je déteste quand ça se produit…

— Père ! Tephren nous écoute en ce moment ! »

Toth se redresse, puis ses épaules s'affaissent : « Je… Ne sois pas vexé. Ton autre père voulait t'entendre. Tu pars pour une région dangereuse, c'est normal qu'il…

— Tephren ! coupe Neptah. Viens donc me voir en face si tu l'oses ! »

Neptah attend. Rien. Aucune manifestation.

« Je vois que je suis indigne de tes égards. Eh bien, je peux m'en passer. Comme toujours !

— Neptah, ne sois pas si dur avec lui », plaide Toth.

Pauvre Toth. Comment un fonctionnaire si haut placé – si puissant ! – dans l'administration de l'Hégémonie peut-il être l'amant dépendant et le servile intermédiaire de Tephren ?

« Je suis navré, père. Je ne peux poursuivre cet entretien. »

Toth pose délibérément une main sur son épaule ; leurs avatars s'interpénètrent. « Je t'aimerai toujours, fils. Peu importe la voie que tu as choisie. »

Neptah coupe la communication.

◆

Plus que deux jours avant le départ de l'*Awernarr*. Partiront-ils à temps ? Retards dans les livraisons d'équipement, manque de place, fuites d'hélium dans le système de propulsion, inspection des quatre réacteurs… La frénésie des préparatifs dépasse chaque jour le paroxysme atteint la veille.

Arhiann s'écarte de la console pour laisser passer un technicien – elle les chasserait volontiers de la timonerie ! – et considère à nouveau le plan de vol. Le quatrième en deux semaines. D'abord un détour par Nemazyr pour prendre l'équipe scientifique de

Bolster, soit six cents kilomètres vers le nord-ouest. Ensuite, plein nord-est pendant treize cents kilomètres jusqu'aux ruines de Moscou. Au total, trois jours de voyage.

Les techniciens adoptent le garde-à-vous tandis que l'odeur de Rowler se répand dans la timonerie. Arhiann regarde par-dessus son épaule : le commandant se hisse à leur niveau par l'écoutille bâbord.

« Poursuivez, dit-il, enjoué. Je veux m'entretenir avec votre capitaine. »

Il accompagne le salut officiel d'un sourire en coin : « Capitaine. Où en est-on ? »

Elle ne s'habituera jamais à ce qu'il lui donne du « capitaine » devant l'équipage.

« Nous devrions partir dans deux jours, si l'on maintient un effort colossal. Il manque encore trois membres de l'expédition…

— Dont le responsable de la sécurité et l'ethno-archéologue ? Ils attendent sur le pont. Je te prie de me suivre pour les rencontrer.

— Enfin une bonne nouvelle, commandant. Je te suis. »

Arhiann referme sa vareuse et descend à la suite de Rowler.

Dans la coursive déserte, l'officier se retourne soudain vers sa supérieure. D'une main timide, il porte à son museau le nœud que forment les tresses d'Arhiann à la hauteur de ses seins. Ça l'amuse toujours qu'elle les porte nouées en "rebelle", plutôt que glissées le long de son uniforme ?

« Il me tarde que tu reviennes. Nous pourrons enfin…

— Sois patient, dit-elle. Nous ne sommes pas seuls…

— Ton pelage me manque. Goûter ton odeur, tout… »

Il glisse son museau contre son cou, rebroussant sa fourrure. Ce relent qu'il répand sur elle… Le désir. Pas celui, doux et sensuel, de rester enlacés à toiletter le pelage de l'autre, mais la pulsion brutale de l'accouplement. Elle repousse l'envie de s'arracher à son étreinte.

Arhiann, calme-toi. Si ton odeur te trahissait…

◆

Dehors, Rowler la précède entre les caisses qui encombrent le pont de l'*Awernarr*, dominé par l'imposante moitié supérieure des six grands anneaux à hélium qui entourent le vaisseau sur sa largeur. On s'affaire partout, avec force cris, à entreposer chaque caisse.

« Capitaine Arhiann, voici le lieutenant Ter-Holf, chef de la sécurité. »

C'est donc lui, Ter-Holf, cet Ourag massif au museau cassé. La poigne qu'il pose sur son épaule est puissante ; elle ne parvient à appuyer que l'extrémité des doigts sur la sienne, tant il est grand. Il doit se pencher pour l'accolade coutumière. Quelle odeur de brute, sans nuances !

« Bienvenue à bord, dit-elle. J'espère que le voyage te plaira.

— Vous aussi, capitaine. »

Quelques Ourags, à l'arrière-plan, observent le nouveau venu avec intérêt. Flairent-ils le héros de guerre ?

Rowler ajoute, derrière elle : « Notre archéologue, Neptah Horakthy. »

Horakthy ? Ce nom…

Un frôlement sur sa gauche, du côté des caisses rangées à la limite de son champ de vision. Arhiann sursaute et se retourne en même temps qu'un être d'étoffes, aux ceinturon et bretelles chargés d'étuis, se redresse pour lui faire face. Aussi inodore et indiscernable qu'un spectre, le Nohaum s'était appuyé aux caisses pour glisser un tube de nutrifluide à travers le grillage qui masque sa bouche. Élégant, l'archéologue : vareuse qui descend jusqu'aux genoux, bottes à guêtres, masque de cuir, casquette nohaume, lunettes aux verres orangés… Que des tons ocre. Des couleurs de terre, appropriées pour quelqu'un qui creuse le sol en quête d'artefacts.

« Excusez-moi, dit-il en retirant sa casquette. Je ne voulais pas vous surprendre. »

Il lui tend une main gantée.

« Bienvenue à bord », dit Arhiann en s'avançant pour glisser son museau contre le cou de Neptah.

Un vif raidissement répond à son contact. Idiote ! Son père le lui a pourtant cent fois répété ! « On serre la main des Nohaums. Ceux-ci considèrent leur visage comme une partie intime. »

C'est la faute de Rowler, tout à l'heure. Elle ne sait plus ce qu'elle fait. Neptah sauve néanmoins la mise en lui serrant l'épaule. Une poigne douce. Comme son odeur. Oui, c'est léger, mais Neptah en possède bien une, mêlée à celle de sa vareuse. Mâle ou femelle, sous ce masque ? Mâle. Quand on y flaire à deux fois.

« Merci de votre accueil, capitaine, dit-il.

— Tu parles l'ourag presque sans accent. Où l'as-tu appris ?

— Je l'ai téléchargé dans mes mémoires externes.

— Ah. Bien. Le répartiteur vous indiquera vos cabines. »

En les conduisant au répartiteur, elle renifle discrètement sa main. L'odeur féroce de Ter-Holf recouvre celle de Rowler. Un mal pour un bien.

◆

La pluie crépite sur les toits de Nemazyr. Neptah demande la permission de quitter l'*Awernarr*, le temps qu'on embarque l'équipement du groupe de Bolster, et il s'empresse de sortir. Tout pour fuir les relents des Ourags qui, dans chaque coursive, lui saisissent la gorge…

Il longe la coque massive et annelée du vaisseau. De l'extérieur, les décorations de la proue confèrent une apparence animale à l'appareil, celle d'un renard. Déguiser ses vaisseaux en renards, loups, oiseaux ou dragons… Quelle logique symbolique cela cache-t-il ?

Il arpente ensuite la rue centrale de l'agglomération en contemplant avec indifférence les devantures des bâtiments préfabriqués, des magasins et des commodités. Nemazyr est un complexe voué à étudier la régénération forestière posthyperchaos. D'après les Phytos, l'endroit tire son nom d'un village humain qui existait là, quelque part aux limites de l'ancienne Ukraine.

Une fois dépassée l'extrémité de la rue, Neptah gravit une petite colline et contemple la vallée qui prend naissance à ses pieds. Au loin, des montagnes arrondies, verdoyantes, dégagent sous la pluie des traînées échevelées de brume, comme de longues fumerolles qui masquent l'horizon.

Derrière Neptah, le territoire ourag. Devant, une vastitude abandonnée depuis quarante ans : le cadavre mutilé de la Russie.

On est bien insignifiant devant tant d'immensité.

Un gémissement le tire de son léger vertige. Cela semble provenir de ces buissons, sur la droite.

Neptah écarte le fourré : une renarde gît au fond d'une petite dépression, morte. Son renardeau lui pousse le ventre de son museau, en geignant.

Après une hésitation, Neptah prend doucement la petite bête. Celle-ci se laisse manipuler sans tenter de fuir, le contemplant de ses petits yeux curieux. Il sonde le renardeau en cryptovision : sous le pelage, le sang circule avec force. Muscles vifs, os sains, système nerveux actif, estomac vide… Le schème complet d'un être affamé mais en bonne santé.

Neptah débouche un tube de nutrifluide. Après avoir flairé l'objet, le renardeau se met à le téter avec avidité.

Que faire de cette pauvre bête ?

Neptah retourne à l'*Awernarr*, le renardeau docile dans les bras. Il s'arrête au poste de supervision de la piste d'atterrissage : sous un auvent jouxtant le petit bâtiment, la capitaine Arhiann supervise avec le répartiteur le chargement des caisses d'équipement scientifique. Deux Phytos les secondent, leur végétation corporelle scintille d'humidité. Avec son pelage blanc, décoré malgré elle de perles d'eau, Arhiann détonne dans la grisaille pluvieuse. Elle se démarque carrément des autres Ourags. Ils se ressemblent tous, les hommes-bêtes : même uniforme vert sapin, même allure de carnivore musculeux… Seul leur pelage tacheté ou rayé exprime leur individualité. Avec son poil éclatant et monochrome – ainsi que sa vareuse bleu royal –, la capitaine semble appartenir à une autre classe. Son sexe ne la dispense ni de crinière ni de griffes recourbées, mais elle est plus élancée, plus souple que les mâles. Plus… noble, dirait-on.

Elle lève le museau de son bloc-notes à son approche.

« Alors, Neptah, cette promenade ?

— Je rentre : trop humide.

— Qu'apportes-tu là ? »

Les deux Phytos sourient en voyant le renardeau.

« Je l'ai trouvé sur le cadavre de sa mère, explique Neptah. Je ne sais pas si les Phytos… »

Arhiann répond joyeusement : « Il nous manque une mascotte. C'est la coutume de voyager avec un animal porte-bonheur. "Awernarr" est un renard mythique dans nos contes – c'est à cela que correspondent les décorations sur notre proue. Si ce renard t'a choisi comme gardien, c'est un bon présage. Occupe-t'en.

— Ah ? Eh bien, merci, capitaine. »

✦

Les feux de Nemazyr s'évanouissent dans la nuit sans lune. Neptah referme son hublot. Cette légère angoisse… C'est ce qu'on ressent en naviguant vers l'inconnu ?

Il s'assure que Renardeau dort bien, roulé en boule dans sa cage. Il lui a installé un bac de litière, avec une balle et un vieux jouet bariolé pour lui tenir compagnie. Il quitte l'étroite cabine, puis revient sur ses pas pour allumer la veilleuse à l'intention du renard. Il ne peut retenir un sourire : comment peut-on se dépenser autant pour le confort d'une petite bête ?

Maintenant, trouver la salle à manger des supérieurs. Qu'est-ce que Bolster va leur apprendre de si surprenant sur les fameux fantômes ?

À une intersection, il hésite. Est-ce par là ? par ici ? Pourquoi ces damnés Ourags construisent-ils selon des plans qui échappent à toute logique pratique ! Difficile de visualiser le tracé des couloirs adjacents, même en cryptovision.

Une minute d'errance, puis un soldat ourag et un technicien – fortes odeurs de fauve – passent devant lui, précédés du cliquetis des griffes qui dépassent de leurs bottes-sandales.

« Excusez-moi, la salle à manger des supérieurs ? »

Le technicien sursaute, montrant presque les crocs dans sa surprise. Le soldat, un Ourag noir comme du charbon et beaucoup plus calme, indique le chemin d'un doigt levé. Après les avoir remerciés, Neptah va s'éloigner lorsque le soldat l'arrête :

« Maître Nohaum, comment s'appelle le petit renard ? »

Neptah lance un regard discret à la plaque épinglée sur la vareuse vert forêt : *Premier Sergent Grimmurr*. L'un des trois subalternes de Ter-Holf.

« Je le surnomme Renardeau pour le moment, mais il ne restera pas toujours petit. Vous auriez une idée ? »

Grimmurr grogne. Surpris qu'on lui demande son avis ? « Awernarr ? suggère-t-il.

— C'est le nom du vaisseau, proteste le technicien. Pourquoi pas Lenarr ? Il était courageux, le renard Lenarr, dans le conte… »

Il baisse les oreilles devant le regard impérieux que lui décoche Grimmurr.

« Faites voter l'équipage, suggère Neptah. Un porte-bonheur doit tous nous refléter…

— Voter ? demande Grimmurr.

— Un vote. À main levée ou avec des papiers, vous savez… »

Non, ils ignorent. Est-ce étonnant ? Si l'Union se veut démo-
cratique, le territoire ourag fonctionne encore selon cet étrange
système de chefferie établi durant l'hyperchaos. Seuls les chan-
celiers des citadelles votent pour diriger l'ensemble du territoire.
Non sans consulter les membres de leur communauté, certes,
mais concrètement, l'Ourag ordinaire possède peu d'influence.

Les deux Ourags acquiescent et s'éloignent. Neptah les entend
énumérer toutes sortes de noms, du simple à l'extravagant.

✦

« Lieutenant Ter-Holf, je vous présente le docteur Bolster,
dit la capitaine Arhiann. Docteur Bolster, le lieutenant Ter-Holf
de Fenrer, notre responsable de la sécurité. »

Ter-Holf serre la main de leur invité avant de le détailler avec
discrétion : le Phyto le dépasse presque d'une tête mais, mince et
longiligne, il ne tiendrait pas dix secondes dans un combat. Toutes
les parties transparentes de son vêtement, pour laisser passer un
maximum de lumière, laissent entrevoir un foisonnement de végétation noueuse, tressée autour de sa tête et de son cou, et qui
bruit à chaque mouvement. Comme si les plantes murmuraient
dans une étrange haleine forestière. « C'est donc vous qui avez
résolu l'énigme des fantômes. Je suis curieux d'entendre votre
explication.

— Elle est très simple, vous verrez. Rien de surnaturel…

— Il nous manque encore quelqu'un, intervient la capitaine.
Prenez place je vous prie. »

Ter-Holf choisit une chaise au fond de la salle à manger des
supérieurs, plus spacieuse qu'une salle à manger conventionnelle
mais moins qu'une salle de réunion. Un compromis entre les
deux fonctions. À côté de lui, la capitaine Arhiann s'allume une
pipe de nurfhâl. Elle en tire quelques bouffées et la lui tend.
Grotesque. Oui, c'est la coutume que le capitaine partage sa pipe
au début d'une rencontre, mais Ter-Holf n'a nul besoin de cette
générosité rituelle. Il la remercie néanmoins et aspire quelques
savoureuses bouffées. Jolie Ouragaise, la capitaine. Toute blanche,
pas aussi athlétique que celles qu'il fréquentait jadis, mais jolie.
Si ce n'était cette façon de porter ses tresses en rebelle, nouées
au niveau de la poitrine plutôt qu'attachées à sa vareuse… Les
officiers portent leurs tresses plaquées sur leur uniforme, c'est la

convenance, même si le port en rebelle augmente chez les militaires.

En tout cas, elle constitue un bon choix pour engendrer une solide lignée. Le flair ne trompe pas. Si cela lui rendait sa fertilité, Ter-Holf envisagerait même de s'apparier avec elle.

À quoi ressemblerait sa vie s'il avait échappé aux gaz stérilisants ?

La porte s'ouvre devant Neptah. « Neptah, lance la capitaine Arhiann, je te présente le docteur Bolster. Docteur Bolster, Neptah Horakthy, notre archéologue. »

Bolster serre la main du Nohaum : « Heureux de vous connaître, maître Neptah. Merci de votre accueil, capitaine.

— Le docteur Bolster va nous exposer ses recherches sur les fantômes, ajoute la capitaine.

— Je suis heureux de vous rencontrer, dit le Nohaum. Un de mes amis, aux chantiers de recyclage, admirait vos travaux. »

Prêtant une oreille distraite à ces palabres polies, Ter-Holf regarde Bolster dérouler une holofeuille sur la table et l'activer en répandant une légère odeur d'ozone. Quelqu'un diminue l'éclairage de la pièce ; tous les visages se retrouvent éclairés par en dessous. Le Nohaum devient encore plus désagréablement spectral dans cette ambiance !

L'holofeuille affiche une image brillante, une sorte de sphère dentelée, entourée de petits globes hérissés. « Voici l'origine des fantômes, explique Bolster. Un grain de poussière-espion, entouré ici de grosses particules virales. »

Ter-Holf fronce les babines : « La poussière-espion de Verevkine ?

— Oui. Un souvenir des nanotechs militaires du XXIe siècle. Verevkine et ses successeurs l'employaient pour surveiller ennemis et concitoyens. Ces particules enregistraient les événements aux alentours. On les récoltait dans l'ancêtre de notre psychom actuel pour décoder l'enregistrement. Dans la nature, cette poussière se dégradait en une semaine. »

Une autre image. Une feuille d'arbre. Bolster en agrandit une section jusqu'à ce qu'on en distingue les cellules, truffées de poussière-espion. « Nous n'avons pas examiné nous-mêmes les environs de Moscou mais, d'après les rapports des expéditions précédentes et les échantillons végétaux rapportés, nous avons découvert un phénomène de parasitisme. La poussière-espion semble s'être incorporée à la végétation. Non seulement survit-elle dans les plantes, mais celles-ci fabriquent de nouvelles particules pour leur parasite. Puisant son énergie à même la plante, la poussière poursuit ses enregistrements.

— Par conséquent, enchaîne Neptah, la végétation de Moscou contient la mémoire des événements passés. Incluant l'hyperchaos. Comment cette fusion s'est-elle produite?

— Aucune idée. Nous savons au moins que si l'on ingère la flore moscovite ou si, en détruisant un édifice aux fins de recyclage, on projette en l'air ces particules, on sera victime des images qu'elles contiennent. La poussière-espion a été conçue pour fonctionner avec les psychoms, elle est compatible avec notre système nerveux : si nous l'inhalons ou l'ingérons, elle se fixe sur nos neurones.

— Et on se retrouve dans un monde virtuel comme pendant une psychom, conclut Ter-Holf. Cette poussière sera une calamité pour toute entreprise de recyclage. L'illusion vous cache la réalité environnante et si, dans ces conditions, un prédateur s'approche… Disposons-nous d'une parade?

— D'abord, ne consommer aucune flore locale. Et d'ici le jour où nous installerons un léviathan, je compte trouver un moyen de rendre tout néomorphe insensible à cette poussière.

— Je manipule mes influx nerveux pour consulter mes mémoires externes, remarque Neptah. Je pourrai contourner les effets de cette poussière, je crois, en canalisant les émissions de celle-ci vers mes mémoires.

— Prouesse que seuls les Nohaums peuvent accomplir, l'interrompt Ter-Holf. Pour nous, docteur, comment vous y prendrez-vous pour nous désensibiliser?

— En étudiant les humains qui survivent dans Moscou. D'après les satellites, il y en aurait de trois à cinq cents. Ils n'ont pu survivre qu'en devenant insensibles à la poussière. J'entends découvrir comment. Peut-être grâce à un anticorps qui capture les particules avant qu'elles n'atteignent le cerveau.

— Espérons que tu auras le temps de les examiner, remarque la capitaine. Nous ne serons sur place que trois mois.

— Si nos recherches tardent, nous ramènerons quelques spécimens en Union.

— Ramener des humains? s'étonne le Nohaum.

— Notre protocole prévoit cette éventualité, ajoute la capitaine. Cela t'inquiète ?

— J'espère… qu'on les traitera correctement. »

Ter-Holf ne peut retenir un aboiement sarcastique : « Les Russes n'ont jamais traité "correctemert" les Ourags. Pourquoi ne pas leur rendre la pareille ?

— Ces humains ne sont que les descendants des Russes, rétorque le Nohaum. Doivent-ils payer pour les crimes d'une génération qu'ils n'ont pas connue ?

— Et moi, est-ce que j'avais à payer pour des crimes qu'aucun membre de ma race n'avait commis ?

— Les humains ont quand même développé la science qui nous a permis d'exister. Les premiers néomorphes étaient des humains modifiés par nanotechnologie qui ont ensuite engendré les races posthumaines, les Nohaums, les Phytos, les Ourags, les Cyborgs, les… »

Ter-Holf frappe la table du poing : « Les Ourags ne descendent pas de ces larves d'humains ! Je n'ai pas besoin de me référer à eux pour savoir ce que je suis, un Ourag, le plus noble des néomorphes !

— *Assez !* »

La capitaine Arhiann s'est levée en plaquant ses mains sur la table pour s'interposer entre lui et le Nohaum : « Neptah, les humains seront vraisemblablement hostiles. Nous devrons probablement adopter la ligne dure à leur égard. Toutefois, s'ils se montrent pacifiques, je suis disposée à suivre une approche plus… douce. S'il faut gagner leur confiance pour mieux les étudier, je compterai sur toi. D'ici là, évitez ce débat, tous les deux. »

Ter-Holf grogne un acquiescement. Si cet imbécile de Neptah était de sa race, il réprimerait son insolence à la manière ourague : avec un bon vieux duel…

2

Sur le pont ensoleillé, Neptah promène Renardeau au bout d'une laisse. Ou, plutôt, c'est la petite bête qui l'entraîne dans tous les coins, museau au ras du sol. Pas une très bonne idée, de lui donner du nutrifluide sucré au déjeuner…

Il parvient à immobiliser la bestiole pour la prendre dans ses bras et s'appuie au garde-fou pour contempler les rebords de la cuvette graveleuse où repose l'*Awernarr*. « Tu vois, Renardeau, ça, c'est Moscou. Tu t'attendais aussi à une grande ville grise et stérile, hein ? Eh bien non : la végétation recouvre tout. Demain, nous commencerons notre travail, toi et moi. Aujourd'hui, seul le volet biologique débute. Arhiann, cette brute de Ter-Holf et Bolster sont partis tantôt avec des soldats dans un gros coléoptère de combat. Pour examiner le complexe où l'on fabriquait la poussière-espion…

— Maître Neptah ? La capitaine vous demande ! »

C'est Grimmurr qui le hèle, sa tête charbonneuse hissée par une écoutille.

« Ils sont revenus ? demande Neptah.

— Non. Elle vous demande par radio. Ils ont trouvé quelque chose de bizarre, je ne sais pas quoi. Un coléoptère va vous y conduire. Je peux m'occuper de Renardeau en votre absence ? »

Neptah lui tend l'animal avant de s'engager dans l'étroite échelle : « Vous avez trouvé un nom pour notre petit ami ? »

Le sergent sourit à Renardeau, qu'il tient à la hauteur de son visage : « Non. Aucun consensus. Et l'Union qui tente de nous convaincre que la démocratie vaut mieux que notre chefferie ! »

Grimmurr aboie un rire amusé. Après l'avoir suivi jusqu'aux bossoirs qui maintiennent le coléoptère n° 5 au-dessus du vide, Neptah s'installe à côté du pilote, un Ourag tacheté. Le sergent lui tend un pistolet : « Les lieux sont sauvages. »

Grimmurr ferme lui-même l'écoutille. Avec un grincement, les pinces des bossoirs relâchent leur prise sur le coléoptère, qui s'éloigne en tanguant de l'*Awernarr*. Quelle détestable façon de pratiquer une mise à l'air !

Stabilisé, le coléoptère fonce hors de la cuvette. Loin en dessous, de hauts conifères hérissent les ruines de Moscou. À travers les pointes moutonnent parfois des feuillus, alors que par endroits des monceaux de décombres stériles trouent la verdure discontinue. Comme des cicatrices infligées à la forêt, alors qu'en réalité c'est la forêt qui ronge la cité, émiettant les bâtiments de l'intérieur. Seuls quelques gratte-ciel et cathédrales délavés, miraculeusement préservés de l'hyperchaos, émergent de l'océan émeraude.

En vingt minutes, ils atteignent les restes d'un complexe militaro-industriel gangrené par la végétation et dont les murs écorchés exhibent des masses noueuses de tuyaux. Dans une clairière dégagée, à côté, deux coléoptères de combat patientent, surveillés par cinq ou six sentinelles.

Avec l'effondrement des murs, l'entrée officielle du complexe a disparu depuis longtemps. Neptah doit suivre un soldat à travers un espace libre, entre les tuyaux rouillés, pour s'insinuer au cœur du bâtiment.

Quelques faisceaux lumineux entrecroisés trouent l'obscurité, échappés d'ouvertures invisibles. Ici, ils révèlent les angles rouillés d'une passerelle, là ils font luire d'innombrables tuyaux. Un environnement tout en courbes, organique. Une odeur de moisissure pince le nez, une eau invisible dégoutte quelque part. Au fur et à mesure que Neptah progresse avec son guide le long d'un chemin ponctué de repères luminescents, il peut percevoir les échos d'une dispute :

« J'avais donné l'ordre d'employer les gaz incapacitants ! » crie la voix de la capitaine Arhiann. « Tu as mis en danger tes coéquipiers et la vie de Bolster. »

Et Ter-Holf réplique : « Comme à la guerre ! Ils constituaient une menace... Je suis le responsable de la sécurité et je... »

Neptah et son escorte débouchent dans une immense salle occupée par des serres crevées, fortement éclairées par des lampes sur trépieds. D'étranges racines parsemées de globules rougeâtres se déroulent tortueusement sur le sol. Bolster et deux assistants phytos, occupés à prélever des échantillons, ne semblent pas remarquer les nouveaux arrivants. Quelles plantes étranges... Des plantes ? En temps normal, aucune lumière ne doit atteindre cet endroit.

Un cadavre ensanglanté gît en travers de l'allée qui sépare les serres. Le sang, l'odeur de la mort encore toute proche. Et ce visage hirsute à la peau blanche... Un humain ? Un véritable humain ? Les néomorphes proviennent vraiment de ce genre de créature ? Neptah passe en cryptovision pour en examiner les organes internes. Drôle d'anatomie. Pas si différente de la sienne, si l'on excepte les extensions cérébrales, les composants électroniques externes... tout ce qui transforme un Nohaum en ordinateur vivant.

Le soldat toussote en lui indiquant la porte effondrée d'où sort la dispute. Ils attendent une minute avant que Ter-Holf en sorte d'un pas brusque. En cryptovision, le lieutenant n'est que palpitations musculaires exacerbées, tout le schème d'un être furibond. Neptah s'écarte de son chemin. Le soldat lui fait signe d'entrer.

Un ancien bureau, envahi par une végétation timide. Trois autres cadavres humains gisent dans la lumière du jour, porteurs de vêtements rapiécés datant du règne de Verevkine. Entre eux, la capitaine tourne comme un fauve encagé, sa vareuse bleu royal tachée de sang. Son schème n'est pas moins contrarié que celui de Ter-Holf.

« Vous voulez me voir, capitaine ? »

La capitaine sursaute, se tourne vers lui. Elle reprend contenance avec une grande respiration ; lorsqu'elle parle, sa voix est parfaitement contrôlée : « Neptah, tu connais le russe qu'on parlait avant l'hyperchaos ?

— Je le possède en mémoire… »

Il repasse en vision normale alors qu'elle l'invite d'un geste à la suivre hors du bureau. Le soldat sur les talons, ils descendent un escalier rouillé dans lequel ils enjambent deux autres cadavres. Neptah réprime sa nausée :

« Que s'est-il passé ?

— Nous pensions que ce complexe était désert, mais une dizaine d'humains s'y terraient. Ter-Holf a ordonné de tirer à vue plutôt que de prendre des distances pour mieux évaluer la situation. S'il y avait eu cinquante humains et non dix, hein ? »

Au bout d'un couloir tout en tuyaux, jonchés de pierres et de débris, ils arrivent à un cagibi fermé par une grille et gardé par deux Ourags. De l'autre côté des barreaux, trois créatures se pelotonnent dans le fond, terrorisées. Des êtres blafards, imberbes, en haillons, la peau couverte d'écailles – non, couverte d'une éruption verruqueuse généralisée. L'une des créatures jette un coup d'œil vers les nouveaux arrivants : une fente labiale et des dents tordues lui donnent un faciès de rongeur. Des humains ravagés par les retombées chimiques. Des mutants.

« Les humains là-haut tenaient ces mutants prisonniers, ajoute Arhiann. Je crois qu'ils ont marmonné en ancien russe, tantôt. Peux-tu leur parler ? Ils en savent peut-être beaucoup sur la présence humaine ici. »

En hochant la tête, Neptah s'accroupit devant les barreaux. Deux des mutants – des enfants ou des adolescents ? – se recroquevillent davantage dans le fond. Celui au faciès de rongeur l'observe avec un intérêt prudent. La cryptovision le confirme : c'est le moins apeuré des trois.

Neptah s'assoit en tailleur sur le sol et remonte ses lunettes sur sa casquette : exposer ses yeux devrait favoriser le contact. Il jette un coup d'œil à la capitaine : « Si vous le permettez, j'aimerais qu'on nous laisse seuls. Les Ourags pourraient les effrayer, s'ils ont entendu le carnage. »

Celle-ci le dévisage, la tête penchée sur le côté. « Tu as des yeux bruns.

— Je crois que vous les effrayez, réitère Neptah.

— Oui. Je te laisse une demi-heure. Après, Bolster va les ramener au vaisseau. »

◆

Arhiann demande à Bolster de répéter ses dernières paroles. Elle a de la difficulté à se concentrer. Sa colère contre Ter-Holf lui bourdonne dans la tête. Et ces miasmes qui lui enveloppent le mufle d'un oreiller épais... Pas seulement l'odeur de Ter-Holf, mais celle de la mort : on n'a pas encore débarrassé l'ancien bureau de ses cadavres. Elle étouffe.

« Je crois que la poussière-espion n'a pas fusionné avec la végétation locale, reprend Bolster. Elle en a toujours fait partie. Elle vient à l'origine de ces racines à globules.

— Je n'ai jamais vu de plante comme celle-là. Qu'est-ce ?

— Un organisme génétiquement modifié, probablement. Il y a eu plusieurs méthodes de fabrication de nanobots. En Europe, on avait envisagé d'employer des végétaux programmés génétiquement à cet effet. Il semblerait que les scientifiques de Verevkine ont réussi. Peut-être avec l'aide des consortiums qui régnaient à la fin du XXIe siècle. J'ignore si ces globules sont une fusion de végétal et de champignon, mais ils fabriquent encore de la poussière-espion.

— C'est cela que les humains protégeaient », lance Neptah en entrant dans le laboratoire, sa casquette à la main.

Arhiann se tourne vers lui. Le Nohaum n'a pas remis ses lunettes, il a laissé découvertes les ouvertures de son masque. La peau autour de ces iris bruns... comme momifiée. Des yeux vivants dans un visage mort. À quoi ressemble le reste ? À une momie desséchée ?

« Comment le savez-vous ? demande Bolster.

— Nos trois amis dans leur cage me l'ont dit. En russe.

— Qu'ont-ils raconté ? » demande Arhiann.

Neptah replace ses lunettes. « Le moins farouche des trois a communiqué avec moi : il me prend pour un ange. J'ai cru comprendre qu'il y a deux populations humaines distinctes. Les "mutants", qui vivent à la surface, et les "inchangés", qui vivent en dessous. Deux populations en mauvais termes. Je spécule, mais pendant l'hyperchaos une fraction des habitants de Moscou se serait réfugiée dans les souterrains de la ville et dans les réseaux de bunkers creusés par l'administration Verevkine. » Neptah indique l'un des cadavres, au sol. « Voici un inchangé. Mauvaises conditions d'hygiène, teint pâle, mais remarquez ses vêtements rapiécés, proches des habits de l'époque. Un troglodyte qui reste conforme aux humains d'avant l'hyperchaos.

— Et les trois humains dans leur prison, ce sont des mutants ?

— Oui. Une autre partie de la population a survécu à la surface et s'est organisée en petits villages discrets. Ils me disent que chacune de leurs générations ressemble de moins en moins aux humains d'antan. Les effets de la guerre et des retombées chimiques.

— Leurs générations ? intervient Bolster. Il s'est écoulé une cinquantaine d'années depuis…

— Peut-on envisager que la durée générationnelle se soit raccourcie ? Mortalité élevée ou vieillissement accéléré ? »

Quatre soldats ourags et un Phyto pénètrent dans la pièce avec filets et fusils paralysants. « Nous venons pour les trois humains, déclare l'un d'eux.

— Accompagne-les », lance Arhiann au soldat qui monte la garde près de l'escalier.

Une fois qu'ils sont de nouveau seuls, Neptah reprend : « Je crois savoir pourquoi des inchangés se cachent dans ce complexe. Ils se rappellent que ces globules contiennent une poussière capable de chasser les néomorphes. Verevkine a employé la poussière-espion comme arme autrefois : ils entretiennent ce lieu au cas où les néomorphes reviendraient… »

Des bruits de pas résonnent dans le couloir conduisant à la prison. L'un des soldats réapparaît dans le laboratoire : « Les mutants ! Ils se sont échappés ! »

La surprise d'Arhiann passe inaperçue sous les exclamations de Bolster et de Neptah. Ils s'engouffrent tous à la suite du soldat, arrivent au cachot où la grille s'entrebâille sur du vide. Au sol, le cadenas, fragmenté.

« Ils n'ont eu qu'à prendre une pierre et cogner, dit l'un des soldats.

— Ils étaient assez loin pour qu'on ne les entende pas, acquiesce Arhiann. Et nous discutions… Mais quand ? Neptah, tu n'as rien entendu en revenant ?

— Non, je les ai laissés tels quels… » Il se cogne la tête du plat de la main. « Je leur ai dit que leurs geôliers étaient morts !

— Ils ont su qu'ils avaient le champ libre. » Elle regarde la paroi, tous ces tuyaux entremêlés comme des serpents, avec de nombreux interstices où se faufiler. À travers le remugle, l'un des interstices se démarque, taché d'odeurs humaines. « Ils ont fui par là. Capturez-les ! »

◆

Après avoir traversé la timonerie teintée par le couchant, Arhiann s'enferme dans la cabine psychom. Seconde nuit à Moscou, second rapport officiel. Elle entre le code du centre de liaison et coiffe le casque. Elle se retrouve assise dans un bureau tout en pierre, aux murs décorés d'hologrammes représentant la citadelle d'Affnarr. En face, un fauteuil vide. Elle patiente quelques secondes avant qu'une forme s'y matérialise. Rowler, virtuel, présent pour ses yeux, absent pour son museau. Sensation toujours déroutante.

« Je tenais à être là pour votre première journée de travail, dit-il avec un sourire. Alors ?

— Nous stationnons au sud de l'ancienne Moskova, dans un cratère, ou plutôt une clairière creusée dans la ville par les bombes. Environ cinq cents mètres de diamètre. Nous avons truffé l'endroit de détecteurs.

— De toute façon, qui vous attaquerait ?

— Les humains. Nous en avons rencontré en examinant le complexe militaro-industriel qui produisait la poussière-espion de Verevkine. »

Elle lui relate rapidement les incidents de l'après-midi et conclut : « Nous n'avons pu retrouver ces mutants : ils ont noyé leur piste en suivant un cours d'eau.

— Les "inchangés" et les "mutants". Ça devrait intéresser le côté ethnologue de Neptah. Bon, l'*Awernarr* n'est pas un navire de guerre, mais il possède un armement suffisant pour résister à des attaques modérées. Ces humains sont sûrement moins dangereux que les bêtes sauvages qui rôdent dans Moscou. Que Ter-Holf procède néanmoins à une estimation plus précise de leur nombre. En cas de danger, décollez. L'équipage, ça va ?

— Nous verrons la dynamique du groupe dans les prochains jours. Nous avons adopté une mascotte, un renardeau, qui focalise l'affection générale. Bolster connaît son sujet. Neptah et Ter-Holf… L'équipage respecte Neptah, mais garde ses distances. Son aspect déconcerte. Le fait qu'il soit le gardien de la mascotte finira peut-être par lever la méfiance. Il y a aussi… »

Elle hésite : « Ter-Holf prend des initiatives sans me consulter. Il oublie que je suis la capitaine.

— Il faut le comprendre : à son âge, il a de puissants réflexes de soldat.

— Ses réflexes auraient pu se révéler dangereux.

— Vous êtes en zone dangereuse. Mieux vaut un zélé comme chef de la sécurité. »

Arhiann réprime un soupir. « Je t'expédie la mise à jour du journal de bord. Autre chose ?

— Oui. Je t'aime. »

Sourire forcé : « Moi aussi, Rowler. Allez, je retourne à mon équipage. »

Elle coupe la communication.

Je t'aime. Tant de sincérité dans cette voix. À quoi ressemblera sa vie avec lui ? Rowler pressé contre elle, leur chaleur mêlée… Aimera-t-elle rester enlacée des heures avec lui, à le laisser promener ses griffes dans son pelage ? L'odeur qu'il dégageait dans la coursive, l'autre jour… le mâle pourchassant une femelle. Rowler la voit-il juste comme… *une femelle* ? Comment serait-ce si elle était stérile ? Si elle se blessait et qu'on était obligé de lui retirer l'utérus, par exemple, Rowler s'intéresserait-il à elle ?

Mais à quoi penses-tu ? S'ôter toute possibilité de s'apparier, ne pas fonder de lignée… Une vie réussie passe par là. Comme pour ma mère, ma sœur, pour toutes les Ouragues. Et les Ourags. Nous devons combler le vide laissé par les humains.

Elle retourne dans la timonerie, examine l'écran de surveillance du périmètre et salue les deux veilleurs. Elle sort ensuite sur la passerelle assombrie par le crépuscule. Fumer un peu de nurfhâl, ça ne lui fera pas de mal.

Sur le pont principal, en contrebas, le grand feu du soir teinte d'écarlate le sommet des anneaux à hélium. Autour du foyer, plusieurs Ourags chantent en chœur d'une voix grave et sérieuse. Ter-Holf officie en tant que chanteur de tête. Que récitent-ils ? Le martyre de Fhrer, dirait-on. Fhrer, l'Ourag qui, sous le règne de Verevkine, solidarisa les hommes-bêtes de Russie. Au prix de sa vie. Plus loin, sur le pont, quelques Ourags se livrent à des duels amicaux, au bâton. Elle pourrait se joindre à eux, histoire d'évacuer sa colère. Non : elle les blesserait. Comme c'est déjà arrivé.

Pipe fumante entre les babines, Arhiann se concentre à nouveau sur les chants. Dire qu'elle aimait tant, petite, y participer en compagnie de ses amis. Tant d'heures passées à suivre ces aventures, ces combats mythiques. À entendre comment les humains ont laissé leur place aux néomorphes. Monotone, à la longue : les Ourags vénèrent-ils autre chose que la force et la guerre ?

Lasse, Arhiann monte vers la passerelle d'observation. Elle dépasse les trois coléoptères réservés au volet archéologique de l'expédition, oscillant au bout de leurs bossoirs, hérissés de télé-détecteurs de métaux et autres scanneurs. Grâce à eux, on aura bientôt une carte complète des matériaux qui composent Moscou. D'autres vaisseaux viendront, un léviathan sera installé, on recyclera la ville.

Si elle se portait volontaire pour l'installation du léviathan, échapperait-elle à Rowler ? Comment le repousser en dépit du fait qu'il a légitimement gagné sa main en duel ?

Pourquoi ne s'est-elle pas interposée lorsque Rowler a défié Mélarus ?

Elle hausse les épaules, triste et irritée. Cela fait cinq ans, tout cela.

Un mouvement à l'autre bout de la passerelle. Assis sur des chaises longues, Neptah et Bolster bricolent un psychom portable, Renardeau couché sur les cuisses du Nohaum. La petite bête redresse la tête pour la fixer. Quel regard vif et curieux !

Neptah lève brusquement ses verres orangés vers elle : « Bonsoir, Capitaine.

— Qu'est-ce que vous bricolez ?

— Un appareil pour voir les fantômes, répond Bolster.

— Nous voulions voir ce que la poussière-espion raconte, ajoute Neptah. Et je voulais tester l'hypothèse que j'ai formulée lors de notre réunion. J'ai vu juste : je parviens à reconfigurer mes influx nerveux pour envoyer les images de la poussière dans mes mémoires externes plutôt que dans mon cerveau. Du coup, je deviens insensible à la poussière…

— Avec une puce électronique greffée sur le cortex visuel, nous pourrions obtenir la même parade chez les Ourags.

— C'est très intéressant. Bolster, j'aimerais m'entretenir avec Neptah. »

Bolster hoche la tête et descend de la passerelle. Arhiann s'appuie au bastingage, sa pipe dans la main gauche. Le crépuscule épaissit les contours des ruines de Moscou, comme une peinture aux traits soulignés par un large pinceau. Des murs, des monceaux de décombres, le clocher brisé d'une ancienne église, le tout enlacé par la végétation touffue… Une tranquillité mélancolique.

« Je n'ai pu t'en reparler hier, Neptah, mais prends garde à Ter-Holf. Je tiens à conserver mon archéologue jusqu'à la fin.

— Je prendrai mes précautions. Le lieutenant semble… colérique.

— Il faut le comprendre. Il a passé son enfance et sa vie adulte à craindre les humains. Il a vécu au temps de l'hyperchaos. » Elle se tourne vers le Nohaum. « Il a été torturé autrefois, par les Russes. Il se méfie de ce qui n'est pas Ourag parce que ce qui n'est pas Ourag a toujours cherché à le tuer. C'est pour ça qu'il déclare appartenir à la plus noble des races néomorphes.

— Alors que nous savons tous que ce sont les Nohaums. »

Elle éclate de rire, comme malgré elle. Neptah l'imite en caressant Renardeau.

« J'ai surpris une querelle parmi nos membres d'équipage quant à ce renard, poursuit-elle. Les avis divergent sur le renard le plus courageux de nos contes, le plus digne de baptiser notre mascotte. *Awernarr* revient souvent. Mais aussi *Reniarri*, *Lenarr*, *Feriana*… Vaine querelle. C'est *Feriana*, la plus courageuse.

— *La* plus courageuse… Je vois.

— Tu me montres ce que ce psychom permet de voir ?

— Bolster a récolté de la poussière-espion cet après-midi et l'a placée dans la sphère branchée ici. J'occupe l'autre prise. Je vais vous connecter un casque en relais avec mon propre système nerveux. Je serai avec vous dans la vision, si jamais ça vous impressionne trop. »

Arhiann se coiffe du casque qu'il lui tend et regarde vers le crépuscule.

La lumière la submerge comme une lame de fond.

Des flammes, des vaisseaux qui filent dans le ciel, des missiles. Les gratte-ciel de Moscou, revenus à leur hauteur d'antan, brûlent. On hurle. Des gens partout. Des humains, des néomorphes. On se bat, entre races et au sein d'une même race. Tout laisse place à une ville en ruine qui retrouve sa splendeur passée avant de redevenir la proie des flammes. Retrouve sa splendeur avant de flamber. Retrouve sa splendeur avant de flamber... Des images, aucune odeur de sang ou de cendre. C'est évident que ce ne sont que des images. Il n'y a rien là de trop impressionnant...

Un hoquet de la transmission. Des stries blanches sur l'image. Un sifflement. Une autre vision submerge celle de Moscou. Un Nohaum, avec un masque qui n'est pas celui de Neptah, mais elle voit *à travers*. Ces couleurs, l'aspect translucide des vêtements... C'est ça, la cryptovision ? C'est ainsi que Neptah voit les autres Nohaums ? Ce sont ses souvenirs ?

Et ce monstre sous les vêtements, c'est *ça*, un Nohaum ? Un crâne couvert de substance cérébrale, avec des fils dorés qui serpentent dans la chair. Est-ce une bouche, cette crevasse bordée de dents dont les racines remontent jusqu'à un trou noir... un nez ? La crevasse crache des mots : « Ma plus grande déception ! Il n'est que déception ! » Puis des sentiments. Rejet, chagrin, frustration, colère, solitude, s'oublier dans le travail, visiter les villes du monde pour en apprendre plus que Tephren. Supplanter Tephren. L'*Awernarr*, l'expédition, Arhiann sous une tente. Les trois mutants squameux dans leur prison réclament leur famille en sanglotant. Une main gantée saisit une pierre et frappe le cadenas. La main de Neptah.

Le maelström disparaît. Arhiann se retrouve à genoux sur le pont, le casque renversé au sol, hors d'haleine.

« Je suis confus, marmonne Neptah en la relevant, lui-même haletant. Ça n'aurait pas dû se produire.

— Tephren ? » murmure Arhiann.

Il la regarde comme s'il ne comprenait pas le sens de ce mot.

« Tephren Horakthy, répète-t-elle. L'ambassadeur de l'Hégémonie Néo-Américaine ? C'est ton père ? »

Neptah se redresse, comme si elle le piquait. « Qui est Mélarus ? » réplique-t-il.

Elle grogne, mais il a raison : les convenances exigent de rester discret après un hoquet de psychom… Elle ramasse sa pipe. Neptah éclate : « Stupide engin ! Je n'ai jamais songé qu'un branchement en série…

— Il n'y a aucun mal. Bonne nuit. Beaucoup de travail nous attend demain. »

Neptah incline la tête. Arhiann descend de la passerelle, le souffle encore oppressé.

Neptah Horakthy. Tephren Horakthy. Elle aurait dû deviner plus tôt le lien entre ces deux Nohaums. Pourquoi le fils d'un ambassadeur renommé chasse-t-il les artefacts loin de chez lui, dans des vêtements usés ? Neptah a-t-il été banni à la suite d'un acte d'insubordination ?

Comme avec les mutants cet après-midi ? Les a-t-il vraiment délivrés, ou n'a-t-elle entrevu qu'un fantasme ? Elle devrait… Non, les lois stipulent qu'un hoquet de psychom ne peut constituer une accusation : trop facile d'interpréter à sa convenance la pensée éparpillée d'autrui.

N'empêche, il faudra le tenir à l'œil. Même guidés par de bons sentiments, les grands cœurs rebelles sont enclins à la mutinerie.

Comme Mélarus. C'est ce qu'elle aimait en lui.

Mélarus. Neptah a appris son nom. Qu'a-t-il partagé d'autre de son esprit à elle ?

Elle soupire. Plus que Rowler n'en verra jamais.

3

Une violente bourrasque les secoue à l'approche du gratte-ciel. Neptah agrippe sa console au milieu des jurons, alors que le coléoptère tangue sur la droite. Papiers et instruments pleuvent sur l'équipe d'apprentis.

L'engin se stabilise. Trois Ourags ont été éjectés de leur siège, dont Arnulf, le collectionneur de chansons grivoises. À le voir ainsi cul par-dessus tête, grommelant, l'occasion est trop belle : « Arnulf, dit Neptah en l'aidant à se remettre sur pied, c'est ça que tu entendais en fredonnant, hier, *Avoir le cul au paradis…* ? »

Les Ourags s'esclaffent. Bien : la première fois que Neptah a glissé une pointe d'humour dans la conversation, pendant leur travail, ils étaient restés saisis.

L'un des apprentis se relève en se massant l'épaule, museau froncé : « Pourquoi ça arrive quand on approche de ces immeubles ?

— Même en ruine, explique Neptah, les gratte-ciel staliniens canalisent les vents et engendrent des courants violents. »

Chacun regagne son siège dans le cockpit – long mais étroit ; ils y sont entassés au point de ne pouvoir remuer sans enfoncer les coudes dans les flancs du voisin. Au moins, Neptah s'est habitué à l'odeur musquée des Ourags, concentrée ici au maximum.

Le coléoptère s'élève jusqu'à surplomber le colossal édifice. Sur l'écran du scanneur, celui-ci apparaît translucide, chacune de ses composantes colorée selon un code précis. « Gris pour l'acier, argent pour le nickel, rouge pour le cuivre, rappelle Neptah. Comme exercice, vous m'intégrerez l'analyse de cet édifice. Cet après-midi, vous dresserez la carte des ressources de ce quadrant. »

Ils progressent tout de même vite, ces Ourags, pour des hommes-bêtes sans extension cérébrale ou cybernétique, juste un cerveau refaçonné pour accroître la vigilance. Personne n'a paressé au cours du dernier mois, non plus. Pendant trois heures le matin, les trois équipes de cartographie survolent le terrain pour décortiquer la composition des ruines. Une heure de pause dîner, puis poursuite du quadrillage pendant tout l'après-midi. Les équipes reviennent en début de soirée pour le repas du soir. À la nuit tombée, les Ourags se divertissent en chantant ou en s'adonnant à quelque lutte amicale. Tous les cinq jours, un congé qu'on occupe comme on peut. Les distractions manquent, par ici : en dehors de quelques vagabondages dans les ruines ou le feu du soir, on se surprend à désirer le retour au travail, le lendemain.

Et depuis tout ce temps, aucune observation d'humains vivants. Rien en dehors de deux petits villages abandonnés et d'un troisième incendié. Les humains ont-ils fui, effrayés par les survols réguliers des coléoptères ? Sont-ils victimes de rivalités tribales ? Difficile à dire ; néanmoins, hors de question de s'aventurer dans les ruines sans escorte.

« Pourquoi dit-on que ces gratte-ciel sont "staliniens" ? »

C'est Grimmurr qui a posé la question. Drôle d'Ourag, celui-là, qui passe ses congés à fureter dans les ruines. Les autres soldats se consacrent entièrement à la surveillance ou au pilotage, mais lui scrute toujours la couverture végétale par le hublot, ses oreilles noires dressées de fascination. Si Neptah l'avait eu comme assistant à la Nouvelle-Orléans... Il lui sourit sous son masque : « Staline était un dictateur cruel, bien avant Verevkine. Il a fait construire ces hauts immeubles à l'architecture caractéristique.

— Ces édifices sont… effrayants. Ce Staline était-il pire que Verevkine ?

— Je n'aurais voulu connaître ni l'un ni l'autre. »

Retour à l'*Awernarr* pour le dîner. Plus tard, alors que le groupe se dirige vers le local des ordinateurs pour intégrer les données du matin, Grimmurr tend trois plaques à Neptah : « Je crois que ça provient d'un ancien musée. Des visages ? »

Des images gravées, bien préservées. Deux d'entre elles représentent des visages inconnus, mais la troisième… Cet homme-là figure dans les mémoires de Neptah : « Grigori Raspoutine.

— Qui est-ce ?

— Un fou. On aurait tenté de l'empoisonner, il s'est relevé. On l'a truffé de balles, il s'est relevé. On a fini par le noyer. On l'accuse d'avoir causé la perte de la lignée des tsars. »

Les Ourags tendent l'oreille. « C'est vrai ? dit l'un d'eux.

— Vous nous racontez ? » demande Grimmurr.

Toute l'équipe a les yeux fixés sur Neptah. Cette espièglerie dans leur regard… De grosses bêtes qui ont envie de jouer. Eh bien, pourquoi ne pas transformer cela en jeu ?

« Vous voulez entendre la terrible histoire de Raspoutine ? »

Tout le monde se rapproche et Neptah raconte la jeunesse du moine fou, ses visions divines, son incrustation dans la famille des tsars. Il ne peut pas se contenter de puiser les faits dans ses mémoires externes et de les aligner comme sur une liste : pour intéresser les Ourags, il faut de la couleur, des détails cocasses, une histoire vivante. Le fils du tsar, hémophile, soigné par le moine débauché au regard hypnotique. Puis la révolte populaire, le mécontentement à la suite de la guerre de 1914-1918, Raspoutine qu'on tente d'assassiner, mais qui se relève, à la grande frayeur de ses assassins…

Les Ourags ne bougent pas, oreilles dressées. D'autres les ont rejoints, accoudés à une caisse, assis dans les escaliers.

« Raspoutine avait prédit, conclut Neptah, que s'il mourait dans d'atroces souffrances, la lignée du tsar serait détruite. Quelque temps après, le tsar et sa famille ont été mis en résidence surveillée. Un soir, on les a fait descendre dans le sous-sol… et ils ont tous été fusillés. »

Silence parmi les Ourags. « Raspoutine était un démon, dit l'un d'eux. C'est certain ! Survivre à du cyanure…

— Ah, mais il y a des explications. Demandez à Bolster.
— Vous nous parlerez de Staline demain ? » demande Grimmurr.

Les Ourags retournent à leurs occupations en spéculant sur la nature diabolique du moine fou. Celui-ci croit que c'était un magicien, celui-là penche pour une explication rationnelle.

« Tu as imité Raspoutine », dit la capitaine Arhiann alors que Neptah passe à sa hauteur.

Accoudée à la rambarde, elle éteint sa pipe : « Tu les as hypnotisés avec ton histoire. Et moi aussi.

— Ils aiment les chants et les fables. J'ai fait la même chose. Ils posent tant de questions sur les endroits qu'on survole... »

La jeune Ourague remet la pipe dans sa poche, pensive : « Ça me donne une idée. Pour nos congés. »

✦

À moitié enfoui dans la végétation et couvert de mousse, le gigantesque visage d'Ivan le Terrible semble dormir, couché sur le côté. Le métal noir de l'ancienne statue contraste avec la verdure environnante, dominée au loin par l'empilement conique des tours et des clochers bariolés de l'ancienne cathédrale de Basile le Bienheureux. Partout où Arhiann regarde, des arbres, des herbes, ici et là des dalles soulevées, des racines noueuses. Les restes de la place Rouge.

Debout sur la joue gauche de la statue, Neptah a toute l'attention des Ourags éparpillés dans la clairière. « Verevkine admirait les fondateurs de l'empire russe. Il leur a édifié ces statues. Ivan le Terrible a fait construire la cathédrale que vous voyez derrière. Quand elle a été achevée, Ivan a fait crever les yeux de l'architecte pour qu'il ne conçoive aucun autre monument aussi splendide. »

Certains des Ourags grondent. À côté d'Arhiann, Bolster marmonne : « Un monstre, cet Ivan... »

Elle acquiesce. Ce sont des détails horribles... mais quelle histoire fascinante ! Des crimes, de la passion, des artistes, des penseurs, des mégalomanes... C'est si différent de l'histoire enseignée à l'école. Arhiann revoit son professeur afficher sur un écran des lignes du temps qu'il colore selon les périodes. Préhistoire, Antiquité, Moyen Âge, Ère industrielle, XXIᵉ siècle,

Hyperchaos, néo-Renaissance… De longues époques survolées, jamais approfondies. À l'exception du XXIᵉ siècle, avec l'apparition des néomorphes, l'hyperchaos, la victoire sur les humains, la néo-Renaissance – le présent ! – où les néomorphes reconstruisent le monde. Et voilà que Neptah peuple les autres époques d'une foule de personnages intéressants. La complexité des civilisations anciennes dépasse de loin ce qu'elle a imaginé.

Les Ourags retournent aux coléoptères pour la collation. « Cet après-midi, c'est à toi de jouer, dit-elle à Bolster. Avec quoi vas-tu les distraire ?

— Une expérience pyrotechnique. C'est amusant, vous verrez. »

Alors que le Phyto emboîte le pas aux Ourags, Arhiann s'approche de la tête d'Ivan le Terrible. Neptah s'est laissé tomber sur la pierre. Renardeau, au bout de sa laisse, vient se blottir contre elle : « Il choisit son moment, lui, avec cette chaleur. (Elle caresse l'animal.) Il a beaucoup grossi, en un mois, dis donc…

— Je m'en rends bien compte ! Il dort sur mon ventre chaque nuit ! »

Ils s'engagent dans le sentier en direction des coléoptères, à quelques mètres derrière la file des Ourags. « Je crois que l'équipage apprécie nos petits ateliers, dit Arhiann. Histoire avec toi, science avec Bolster, combat avec Ter-Holf… Toute la semaine l'équipage s'est informé de ce que nous allions faire. Tes récits me rappellent mon père, lorsqu'il nous lisait ses livres.

— Des livres de papier ?

— Oui. Pendant la guerre, il a ramassé tous les livres qu'il dénichait. Il nous a appris lui-même à lire. Mes parents appartiennent aux dernières générations qui ont connu la pauvreté technologique des premiers Ourags, après la fuite de Russie. D'où nous vient l'habitude de chanter pour nous souvenir de notre histoire, crois-tu ? Nous n'imprimions aucun livre, nous possédions encore moins d'ordinateurs pour tout consigner. Cela a changé, heureusement. Aujourd'hui, nous employons le psychom, comme dans les pays les plus avancés.

— Ça ne me surprend pas que votre père soit chancelier. Il doit être très cultivé.

— Mon père est un grand Ourag, savant et courageux. Petite, à l'école, je brutalisais ceux qui ridiculisaient ses idées progressistes. Jusqu'à ce qu'on me dise d'arrêter. »

Le Nohaum rit : « Je vois la scène. Moi, j'étais plutôt tranquille. La seule fois que j'ai frappé un camarade… Oh ! Je revois la réaction de mes pères… »

Elle a dû mal comprendre : « Tes pères ? »

— J'ai deux pères. Deux Nohaums qui ont combiné leur ADN et m'ont fait développer dans une matrice. »

Elle a beau prétendre avoir l'esprit ouvert, elle ne peut s'empêcher de désapprouver. Comment un mâle peut-il s'apparier avec un autre mâle et avoir un fils ? Même avec des machines, c'est…

Neptah poursuit : « Certains de mes amis ont deux mères. D'autres ont un père et une mère. Quand vous dépendez des matrices artificielles pour vous reproduire, le sexe de votre partenaire importe peu. »

Arhiann le considère plus attentivement. Juste des étoffes et du cuir. Un corps plutôt asexué, qu'on connaît seulement par ses vêtements, à l'odeur mâle si discrète. Peut-on s'en étonner de la part d'un individu que rien n'oblige à s'apparier au sexe opposé ?

Une odeur méphitique recouvre soudainement les parfums de la forêt.

Elle se retourne, imitée par le Nohaum et par les soldats qui les précèdent.

À une trentaine de mètres derrière eux, une silhouette oblique se précise au fur et à mesure qu'elle avance dans le sentier. Une forme aux épaules débordant de fourrure noire, mais à la peau squameuse et à la bouche fendue. Un mutant aux épaules enveloppées d'une peau d'ours…

La créature les observe un instant, semblable à un grand rongeur timide, pose un bol dans l'herbe puis déguerpit.

Arhiann, flanquée de deux soldats et suivie par Neptah, s'avance vers le récipient. Des figurines animales grossièrement taillées, que vient flairer Renardeau. Des Ourags ?

« Un cadeau », suggère Neptah.

✦

« Ils ont tout volé ! »

Ter-Holf rejoint ses soldats et les deux Phytos au sommet de la colline détrempée. À chaque pas, ses bottes-sandales s'enfoncent et la boue s'insinue sous la plante de ses pieds.

Les scanneurs placés trois semaines auparavant manquent à l'appel. Les membres de l'équipage ont passé des jours à installer le délicat équipement sur les racines à globules extérieures, dans le dessein de mesurer *in vivo* le renouvellement de la poussière-espion, en calibrant soigneusement chacun des scanneurs et en reliant ceux-ci à l'unité d'enregistrement centrale enfouie dans le sol. Ter-Holf en a lui-même installé quatre. C'est aussi son œuvre qu'on vient de saccager !

« Ils ont même pris l'unité d'enregistrement centrale, gémit l'un des Phytos en montrant un trou béant dans le sol. Une semaine de données perdues !

— Norff, piste les voleurs », ordonne Ter-Holf.

Le soldat renifle les lieux à quatre pattes. Ter-Holf l'imite de son côté, flairant chaque endroit où se trouvait un détecteur.

Des relents humains maculent le tableau local des senteurs.

« Ils sont partis par là, lance Norff en indiquant une trouée dans la forêt. J'estime leur nombre à deux.

— Je confirme, dit Ter-Holf.

— Peut-on remonter la piste ? demande l'un des Phytos. Ils ont peut-être abandonné l'équipement en route… Toutes ces données perdues ! »

Ils cheminent une dizaine de minutes à travers forêt et décombres avant d'aboutir à un bâtiment écarlate, aux arêtes exagérées. Une ancienne station de métro. « C'est là que les voleurs ont disparu, dit Ter-Holf. On va effectuer un repérage. Deux éclaireurs en communication psychom avec moi. » Il désigne du doigt l'un des soldats. « Toi, va chercher le nécessaire au coléoptère. »

Le soldat file aussitôt. Ter-Holf se frotte les yeux pour en chasser les taches de lumière. Cette lourdeur à l'intérieur du crâne… Une migraine. Il ne s'en était pas rendu compte. Se fâcher pour un simple vol de scanneurs ne l'aurait pas affecté de la sorte, avant. Cette irritabilité, ça remonte à son affrontement avec les humains.

Maudits humains. Maudite vermine. Dire que la capitaine et le Nohaum retournent chaque jour à la statue d'Ivan pour gagner la confiance des mutants. Ils devraient plutôt les capturer, pour Bolster, mais la capitaine avait promis une approche sans violence si les humains se montraient pacifiques…

Niaiseries !

Une pluie fine commence à crépiter autour de lui en agitant doucement les feuilles des arbres. Il lève le visage au ciel, yeux fermés, sans ramener le capuchon de son imperméable. La fraîcheur de l'eau pourrait chasser la douleur, mais son pelage facial bloque la moindre goutte.

Il revoit les Russes en train de le raser. Comment l'humidité transperçait sa peau nue. Les squelettes de ses tortionnaires pourrissent-ils quelque part ? Il pisserait dessus, maintenant que sa crinière a repoussé.

Le soldat reparaît avec une caisse d'équipement de combat et un psychom mobile. En dix minutes, lui et Norff sont armés et casqués, capables de résister à un bataillon. Ter-Holf s'assoit en face de l'unité psychom, les deux Phytos de part et d'autre, et se coiffe du casque.

« Psychom à sens unique, explique Ter-Holf. Je vivrai les mêmes événements que les éclaireurs, eux ne recevront que mes ordres. »

Il actionne l'appareil, se voit soudain lui-même de face, comme s'il se trouvait dans la peau de Norff. « Procédez. »

Son homologue virtuel articule les mêmes mots. Il entend les soldats acquiescer, puis l'image tourne et l'entrée du métro avance vers lui. Le décor bouge alors qu'il se sent immobile. Chez certains, cela provoque parfois des nausées.

Les soldats descendent des marches usées et ruisselantes. Ils entrent dans l'obscurité, attendent quelques secondes que leurs yeux de prédateurs s'y adaptent, et repartent. Un tournant, des escaliers roulants figés dans leur rouille. Des lustres encroûtés pendent ici et là, quelques-uns écrasés au sol.

« Rien à signaler, dit Norff.

— Continuez. L'escalier doit conduire aux anciens quais.

— Regardez le mur. »

C'est l'autre soldat qui a murmuré. L'image tourne et révèle une fresque. Des humains y dansent sous des drapeaux rouges qui arborent le profil d'un homme à barbiche, au front bombé.

Norff murmure : « Ça pue l'humain… »

Un hurlement de bête. Des formes vigoureuses bondissent devant les Ourags en brandissant des massues de fortune. Ils jaillissent de toute part et frappent. Éclairs, détonations. Les soldats tirent, leurs projectiles ricochent sur les murs. Éclatements d'étincelles dans les ténèbres. Une épaisse fumée écarlate se répand. Puis des spectres envahissent les lieux : des humains fantomatiques qui fuient partout, en criant, alors que d'autres se

déplacent calmement, se dirigeant vers un wagon de métro en
état de marche…

Ter-Holf arrache le casque. On expose ses soldats à la poussière-
espion !

Norff jaillit de la station, des volutes de fumée rouge accrochées aux chevilles. Il déboule les quelques marches extérieures
en hurlant. Son compagnon ne le suit pas.

Ter-Holf jure, extirpe un masque à gaz biologiques de la
caisse d'armement.

Masqué, il s'engouffre dans la station, mitraillette en main.
Les murs fissurés, la fresque abîmée, les anciens escaliers roulants,
foncer… La migraine lui écrase de nouveau le crâne, des taches
lumineuses déchirent ses yeux. Il se revoit prisonnier des Russes.
Il se souvient de son évasion, puis de son retour en Russie au
cours de l'hyperchaos. Il tire sur les Russes, sur tous les humains.
Éliminer ces monstres qui cherchent à éradiquer sa race !

À travers des volutes écarlates ondoyantes, des cadavres
d'inchangés. Au pied des escaliers roulants, l'Ourag manquant
se traîne en gémissant. Au-delà, d'autres inchangés, bien vivants
et agressifs, s'apprêtent à le massacrer.

Ter-Holf s'élance. Son unique cri, perçant même à travers
son masque, se répercute sur la voûte comme une détonation.
Les humains s'immobilisent une seconde… assez pour qu'il les
pulvérise d'une rafale de mitraillette.

Guerre, guérilla, feu, sang, mort, Russes en débâcle… Guerre,
mort, sang, se défendre, sauver sa vie, triompher… Personne ne
lui échappera. Aucun inchangé…

…pas même ces mutants, prisonniers, qu'il aperçoit soudainement, attachés à un pilier…

◆

« Vous êtes soucieuse, Capitaine.
— Je suis furieuse. »

Neptah le sait même sans cryptovision. Arhiann a à peine
desserré les mâchoires pendant leur progression jusqu'à la statue
d'Ivan. Et hier soir, lorsqu'elle s'est entraînée au combat, elle a
envoyé ses trois adversaires à l'infirmerie. Neptah n'aurait jamais
cru cette Ourague-là aussi redoutable…

Ils restent silencieux quelques minutes, Neptah juché sur la joue d'Ivan, ses bottes appuyées sur l'énorme nez de pierre, elle, assise sur ce même nez. Le silence est oppressant. Neptah tapote le communicateur sur le revers de sa vareuse, s'assure qu'il fonctionne, le referme… Au-delà des buissons, Grimmurr et deux soldats les surveillent avec des jumelles. Les mutants viendront-ils comme les autres jours ? malgré le massacre du métro de la veille ?

Ennuyeux qu'Arhiann soit aussi furieuse. Neptah regrette leurs discussions des derniers jours. Parler des Nohaums, des Ourags, de l'expansion de l'Union, de celle de l'Hégémonie, du programme de conquête spatiale néomorphe… C'était agréable d'expliquer à la capitaine la manière dont les Nohaums lisent un schème émotionnel. Et c'était tout aussi plaisant d'entendre Arhiann expliquer la mystique musicale dont les Ourags entourent leur recours au cri pour le combat. Sans oublier ses rêves : petite, elle voulait visiter d'autres planètes. Un rêve que sa carrière dans la Chefferie avait peu à peu écarté, au profit d'un projet de vie commun avec le commandant Rowler. Regrette-t-elle ? Non, lui a-t-elle affirmé.

Il n'aime pas la voir ainsi.

Avec prudence, il amorce : « Ter-Holf… »

Elle éclate : « Toi et moi tentons de gagner la confiance des mutants depuis une semaine et ce bâtard va massacrer des inchangés ! En plus des mutants que ceux-ci retenaient prisonniers ! » Elle s'apaise. « Tu sais, Neptah… J'aimerais que les Ourags soient comme toi.

— Pourquoi ? Vous ne les trouvez pas assez laids ? »

Elle rit. Elle ne doit pas rire souvent et, chaque fois, il sent comme elle se détend. « Je ne t'ai jamais vu sans masque, mais je ne te trouve pas laid. Ni effrayant, contrairement à certains de mes congénères. Neptah. Je voulais dire… Écoute nos chants : rien que du combat. Les Ourags vivent encore comme pendant l'hyperchaos et préfèrent avoir des guerriers pour chefs. Comme Ter-Holf. Oh, ils ont été utiles, les Ter-Holf. Aujourd'hui, toutefois, le monde est à reconstruire. C'est aux Nohaums de jouer. »

La voix de Grimmurr dans leurs communicateurs : « Ils arrivent. Cinq mutants. »

Neptah se redresse en même temps qu'Arhiann. Cinq ? Jusqu'à maintenant, ils n'ont vu qu'un seul émissaire, toujours

le même et aux mêmes heures. Il apporte quelques artefacts et
repart avec des tubes de nutrifluide ou des breloques. C'était
avant le massacre commis par Ter-Holf...

Le feuillage s'agite devant eux, puis il en sort un ours noir
sur deux pattes. Non: un mutant revêtu de la dépouille d'un ours,
la tête de l'animal servant de capuchon. Vêtu d'une tunique et
d'un pantalon rafistolé – une mosaïque d'étoffes de couleurs différentes, quoique apparentées –, le mutant les dévisage un long
moment, appuyé sur une lance couronnée d'une petite croix. Il
les fixe comme s'il n'en croyait pas ses yeux; sa bouche de rongeur
est entrouverte. Sur sa poitrine miroite un vieux pendentif doré.
Neptah consulte ses mémoires externes: un symbole issu de la
religion orthodoxe imposée jadis par Verevkine.

Il échange un coup d'œil avec Arhiann avant que le chef de
la délégation s'écarte pour laisser passer son escorte. Les quatre
autres mutants – autres mosaïques d'étoffes et de fourrure, mais
sans la tête de l'animal – s'avancent et déposent un corps devant
eux. Un cadavre criblé de balles. Un inchangé. L'un de ceux qui,
blessés, ont échappé hier à Ter-Holf?

La capitaine esquisse un mouvement pour se redresser, mais
Neptah lui pose doucement la main sur l'épaule. Subitement, le
chef à la peau d'ours plante sa lance dans le cadavre.

Sous sa main, Neptah perçoit le sursaut réprimé d'Arhiann.

Peau-d'ours approche lentement d'eux, la tête baissée, en
évitant de les regarder en face. Il s'agenouille, articule quelque
chose dans son russe dégradé. Neptah doit se pencher en avant
pour saisir chaque mot. Arhiann murmure: « Qu'est-ce qu'il
raconte?

— Il se présente comme l'un des chefs des mutants. Il nous
remercie d'avoir exterminé les derniers inchangés... Il... Il...

— Quoi?

— Son fils était prisonnier des inchangés. Il demande si nous
l'avons trouvé. »

La capitaine s'adosse contre la statue, avec un soupir: « Ter-
Holf l'a trouvé. »

✦

Une quinzaine de mutants se pressent autour d'Arhiann,
enfants et adolescents à l'odeur terreuse, tendant les mains pour

effleurer ses tresses ou sa fourrure. Neptah, à côté, est touché
avec plus de déférence. On le prend pour un ange. Et elle pour
son animal familier. Charmant. Elle en rirait si les interprétations
religieuses dont les mutants affublent leurs visiteurs n'étaient pas
si… pathétiques. Verevkine avait vraiment abruti les siens, avec
sa religion forcée.

Elle regarde par-dessus son épaule pour s'assurer que Grimmurr et les autres soldats les suivent bien, transportant dans leurs
bras les quatre mutants tués par Ter-Holf. Pourvu que leurs congénères continuent d'imputer cette mort aux inchangés…

Peau-d'ours les guide plus avant dans l'ancien complexe
commercial, le long d'un large couloir percé de hautes fenêtres.
Les murs sont couverts de graffitis. Uniquement des scènes de
combats entre des silhouettes humaines et des monstres rouges –
des néomorphes? Ils aboutissent sur une sorte de petite terrasse
intérieure, qui s'avance comme un promontoire dans un grand
hall surmonté d'une verrière défoncée, transpercée par de longs
rayons de soleil. Au sol, la végétation crève le carrelage, de véritables arbres en émergent, chargés de fruits. Chacune des mezza-
nines, couverte de buissons, recèle plusieurs tentes ou des huttes
de tôle ou de bois calfeutrées avec de la mousse, à l'entrée des-
quelles deux ou trois mutants jettent sur les nouveaux arrivants
des regards emplis de curiosité ou de méfiance. Dans le hall,
comme une mer grouillante, une bonne centaine d'humains semble
les attendre, tous vêtus d'assemblages plus ou moins ajustés de
tissus dépareillés et de morceaux de fourrure.

Au bout du promontoire, Peau-d'ours descend dans la foule
et s'y fond comme une goutte dans l'océan. Neptah veut le
suivre, mais avant qu'il ait pu descendre, trois ou quatre paires
de bras le saisissent pour le transporter au-dessus des têtes. Le
Nohaum semble décontenancé, mire de tous les regards. Il jette un
coup d'œil vers Arhiann – cherche-t-il un conseil sur la conduite
à tenir? Pauvre Neptah! C'est lui l'ethno-archéologue, pas elle.
Mais voilà qu'on la soulève aussi pour lui faire franchir ce bras
de mer humain comme un être divin!

On les dépose sur les bords d'une ancienne fontaine, pleine
d'une eau envahie d'algues et encerclée par une volée de marches.
Une dizaine de mutants sont assis un peu partout sur les degrés,
tous vêtus de peaux d'ours ou de loup, avec les têtes des animaux en guise de capuchon. Chacun porte un médaillon doré.

Sûrement des adolescents ou de jeunes adultes, à voir leur ossature, mais leur maigreur, les rides ici et là aux coins de leurs yeux… Souffrent-ils de vieillissement accéléré ? Ce qui expliquerait le temps de génération très court suggéré par Neptah.

« Ceux-là sont probablement les chefs de la communauté », murmure ce dernier.

Grimmurr et ses soldats, fendant la foule avec ménagement, arrivent à la fontaine puis, doucement, déposent leur macabre chargement au sommet des marches. Les chefs hésitent avant de commencer à ôter les linceuls. Arhiann se détourne. La foule des humains s'est resserrée autour de la fontaine. Pauvres humains. S'ils savaient que ce sont les Ourags qui ont tué les leurs ! Et que Bolster les a déjà autopsiés pour ses recherches. Et que les néomorphes sont venus afin de recycler les ruines qui les abritent… Arhiann promène son museau sur la foule. La puanteur de la mort latente. Une race agonisante. Et dont les yeux, malgré tout, ne reflètent aucun abattement. Ne ressentent-ils aucune humiliation à vivre dans la fange, alors que leur race trônait jadis au sommet d'un monde hypertechnologique ? Savent-ils ce qu'ils ont perdu ? Non, s'ils croient vraiment que les néomorphes sont des démons et des anges… Voilà ce qu'on obtient après quelques décennies d'isolement dans des ruines. Avec, comme vision du monde, les superstitions religieuses imposées par Verevkine, soucieux de présenter sa dictature comme un décret divin.

« Neptah, qu'allons-nous faire ? L'Union ne renoncera jamais à ce territoire pour une poignée d'humains *malades*.

— Nous ne vaudrions pas mieux qu'eux. Les humains ont tenté de tuer les néomorphes. Nous avons survécu et maintenant, ce sont eux les faibles. Doivent-ils expier pour leurs ancêtres ? »

Arhiann soupire : « Non. Nous valons mieux que ça. »

4

Arhiann coiffe le casque psychom en vue de son rapport hebdomadaire. Elle aboutit face à Rowler lui-même plutôt qu'à l'officier de liaison. « Tiens, Nerr est en congé ? »

Rowler lui sourit : « Je voulais te voir. Ton absence est interminable… Au moins, il ne reste que quelques semaines. » Il tend la main pour la toucher, mais leurs avatars s'interpénètrent. Arhiann résiste au réflexe de retirer sa main.

« Alors ? poursuit Rowler.

— Tu es au courant, bien sûr, que nous avons découvert une communauté humaine complète qui s'est reconstituée à Moscou. C'est… fascinant ! Ce sont surtout des adolescents, organisés avec peu de moyens et qui ont construit leur propre culture. Selon Bolster et Neptah, à cause du taux de mortalité élevé, il y a eu trois ou quatre générations depuis l'hyperchaos. Une succession si rapide qu'ils ont déjà déformé leur passé. Ils ont intégré leurs souvenirs des néomorphes et des guerres au sein d'un grand mythe rempli de magie, de fantômes et de monstres…

— Holà, je n'en demande pas tant ! Nous reparlerons de ces humains. L'expédition, Arhiann ? Où en êtes-vous ? Votre mandat est de cartographier la ville, pas de conduire une étude ethnologique. »

Un peu agacée, elle consulte ses notes virtuelles : « Nous avons repéré beaucoup de zones riches en matériaux intéressants. Nous disposons d'une carte de Moscou complète à quatre-vingts pour cent. Une grande partie de la ville, environ soixante-dix pour cent, serait recyclable sur une période de dix ans. Tu sais, cette cathédrale bariolée sur les bords de l'ancienne place Rouge ? Le bâtiment est presque intact, on devrait le transférer sur une place-musée…

— Drôle d'idée.

— Pourquoi donc ? C'est un bâtiment qu'on voit dans nombre d'archives. Je comprends qu'on a besoin de recycler les villes, mais on ne devrait pas gommer le passé.

— Neptah a employé la même expression lors de notre premier entretien. Concernant les travaux de Bolster… (Rowler fait apparaître des données virtuelles en l'air.) L'examen des inchangés tués lors de votre arrivée rend caduque l'hypothèse d'un anticorps qui piège la poussière-espion. En revanche, l'examen des mutants tués dans la station de métro permettrait de conclure que ce sont les neurones eux-mêmes qui… comment dire ? La poussière ne colle pas dessus. Des protéines particulières, à leur surface, empêcheraient l'adhésion.

— Oui. Selon Bolster, c'est le tissu cérébral des mutants qu'il faudrait étudier pour trouver ces protéines et concevoir un remède. Un vaccin génétique. »

Rowler joint les mains pour poursuivre : « Arhiann, nous sommes à la mi-août. L'expédition approche de sa fin. La cartographie est satisfaisante, mais nous sommes loin d'avoir notre parade à la poussière-espion. Certains croient, à la Chefferie, qu'apprivoiser les humains pour mieux effectuer les tests ralentit inutilement les travaux de Bolster…

— Rowler, mettre au point un tel vaccin exige un équipement que nous ne possédons pas.

— C'est aussi ce qui motive les directives que je suis chargé de te transmettre : vous devrez ramener des mutants vivants dans l'Union. Prélever trois ou quatre enfants, cela devrait être possible sans causer trop de problèmes. Les mutants vous prennent pour des anges ou des démons. Vous pourriez facilement en embarquer quelques-uns à bord de l'*Awernarr*. Par ruse. »

Un silence. Arhiann a froncé les sourcils : « Cette consigne ne me plaît pas.

— La Chefferie l'ordonne…

— Je veux dire… Il y a encore trop d'inconnues. À commencer par la taille réelle des populations humaines. Sous le règne de Verevkine, la population humaine de Moscou se chiffrait en millions. Une proportion minime, naturellement immunisée contre la poussière-espion, a pu engendrer les communautés actuelles. Une proportion minime de plusieurs millions représente encore beaucoup d'individus. Si nous tentons d'enlever quelques mutants et que toute leur communauté se soulève…

— La Chefferie croit qu'il y en a peu, même en réévaluant à la hausse, avec vos informations, les images satellites prises au cours des dernières années. (Rowler fait apparaître de nouvelles données virtuelles en l'air.) Ils estiment la population humaine à six cents individus, incluant femmes et enfants. Il ne reste donc qu'une très faible proportion de combattants non armés, qui feront sans doute ce qu'ils ont fait pendant la plus grande partie de votre séjour : fuir ou se cacher. (Il efface les données et croise les mains sur son bureau.) La balance des risques et des bénéfices penche en faveur de l'intervention que nous te demandons.

— Neptah n'appréciera pas…

— Il n'a rien à dire. Il préférerait sûrement qu'on ne prenne pas de force les humains dont il a gagné la confiance. Nous ne pouvons recycler Moscou sans parade à la poussière-espion. Cette parade, et donc toute l'opération, dépend de ces spécimens. »

Elle répète, butée : « Neptah n'appréciera pas. »

Rowler fronce les sourcils. « On lui demande de s'occuper d'archéologie. Il est sous tes ordres et doit obéir. Si tu crois qu'il peut constituer un élément dérangeant, ne lui dis rien. »

Elle se force à hocher la tête, à dire : « Oui. Tu as raison. »

Rowler se radoucit : « Ce ne sont que des humains, Arhiann. Ils connaîtront un meilleur sort nourris et logés dans nos labos que dans ces ruines. Nous sommes l'aboutissement de l'évolution biologique et technologique qui a façonné la vie sur cette planète. C'est aux néomorphes de jouer leur rôle, plus aux humains. Il n'y aura que des néomorphes dans l'avenir : qui nous reprochera cette décision ? que ce soit parmi les générations futures ou sur le plan cosmique ? (Il tranche avec un petit geste dédaigneux.) Nous n'avons aucun devoir envers ces humains. »

Rowler sait-il seulement le degré de perfectionnement qu'avaient atteint les humains ? Non, sa connaissance se limite à ce qu'enseigne l'école, où le remplacement des humains par les néomorphes semble aller de soi : une simple cassure dans la ligne du temps, une nouvelle période constituant l'aboutissement inéluctable de l'histoire de la Terre. Il ignore que de grandes civilisations humaines ont régné pendant des millénaires. Elle veut le lui dire, le lui crier, mais tout ce qu'elle laisse échapper, c'est, de nouveau : « Oui. Tu as raison. »

◆

Assis sur une des terrasses du grand hall, et flanqué de deux Ourags qui se laissent parfois gratter les oreilles par un enfant espiègle, Neptah visionne sur une holofeuille ses derniers entretiens avec les mutants. Avec tous ces enregistrements, il disposerait d'un corpus suffisant pour rédiger une monographie sur la reconstruction des cultures posthyperchaos.

Bolster s'assoit à côté de lui : « L'un d'eux a essayé de cueillir mes fruits.

— Vous êtes donc comestible ? »

Avec un rire, Bolster indique les groseilles qui parsèment ses tresses : « Les jaunes contiennent de la morphine. Une dose qui endort un Ourag, mais sur ces humains… Quant aux violets, digitaline. Poison. Un bon médecin transporte toujours sa pharmacopée. Mais regardez ça. »

Il tend à Neptah un globule violacé et ridé, semblable à un énorme raisin sec. « Voilà ce qu'on obtient lorsqu'on fait sécher les racines à globules. La poussière-espion y est concentrée à l'état poudreux. Rappelez-vous l'attaque dans le métro : des

inchangés ont répandu une brume rouge qui a donné des hallucinations aux deux soldats. Voilà leur arme : ils n'ont qu'à tirer ce
globule sec et cassant avec un vieux lance-pierres.

— Le lanceur le plus primitif qu'on puisse imaginer combiné
aux nanotechnologies les plus sophistiquées. Et nos hôtes sont
assez intelligents pour se rappeler que Verevkine a employé ça
comme arme. »

Arhiann entre dans le hall, ralentie une seconde par quelques
petits curieux. Les deux soldats veulent adopter le garde-à-vous,
mais elle leur fait signe de rester assis : « Neptah ? Je dois te
parler. »

Il la suit dehors, dans une large rue envahie de végétation et
de lumière matinale. Elle semble inquiète, impression vite con-
firmée par la lecture de son schème.

« Le centre de contrôle veut qu'on capture quelques mutants.
Ils se doutent que cela ne te plaira pas, aussi ils me recommandent
d'agir dans ton dos. »

Les imbéciles ! Arhiann s'empresse d'ajouter : « Je ne peux
guère soumettre mon propre point de vue. Froisser cette communauté de mutants préoccupe peu Rowler et les autres.

— Ont-ils seulement pensé aux risques ?

— Ils ont procédé à une évaluation. Je ne peux les contester
sur ce plan. Neptah, je n'ai d'autre choix que de leur obéir. Si je
suis venue te voir, c'est pour m'assurer que tu ne feras rien pour
l'empêcher. Je sais que tu as libéré ces trois mutants lors de
notre arrivée. »

Il se sent soudain comme dénudé. Le hoquet de psychom
l'autre jour, sans doute.

« C'était une bonne intention, poursuit la jeune Ourague,
mais si tu répètes un geste semblable…

— Ils réclamaient leurs proches, ils souffraient. C'était indigne de les maintenir dans cet état !

— Parce qu'ils sont dans un meilleur état en ce moment ?
Vivre dans un ancien centre commercial dévasté, sans but, au jour
le jour, à subir la faim et les intempéries… Ne seront-ils pas
mieux traités en Union ?

— Ils ont construit leur propre monde. Il faut… Il faut une
discussion publique, une réflexion… On ne peut les perturber
ainsi, non… »

La capitaine penche la tête de côté. « Pourquoi tant d'énergie
à défendre les humains, Neptah ? "Nohaum" ne signifie-t-il pas à

l'origine "qui n'ont rien à voir avec l'Homme"? Cela a-t-il quelque chose à voir avec… Ta position s'oppose à celle tenue publiquement par… enfin, par Tephren Horakthy? »

Il lève une main pour la faire taire. Comment ose-t-elle?

« Neptah, insiste-t-elle d'une voix plus douce. Aide-moi à comprendre.

— Je le hais. Si vous saviez… »

Il doit faire un effort pour maîtriser le tremblement de sa voix. Il la voit hausser les sourcils.

« Quoi, ça vous surprend que je puisse haïr quelqu'un?

— Un peu.

— Tephren voulait que je devienne un grand diplomate, comme lui, pour achever son œuvre. Il m'a enseigné la lecture du schème émotionnel non pour comprendre les autres, mais pour les manipuler. J'ai douté du bien-fondé de manœuvrer la communauté à ma guise, même si c'était pour servir les relations entre l'Hégémonie et l'Union. Je suis plutôt devenu ethno-archéologue pour mieux comprendre les autres races. Tephren s'est alors fait fabriquer deux autres enfants, pour me remplacer. Je n'ai jamais revu mes pères depuis. Et je parcours les villes à recycler. Ces talents que Tephren m'a fait développer, je les "gaspille" à comprendre les autres cultures. Si je participe à la construction de l'avenir, c'est parce que je connaîtrai toutes les races de ce monde. Incluant ces humains. Alors, cela satisfait votre curiosité? »

D'un coup de botte, il envoie une brique rouler au loin.

◆

Revenue à bord, Arhiann passe dans la timonerie, vérifie l'écran de surveillance. Non, ça ne l'intéresse pas. Elle devrait plutôt donner ses ordres pour le "prélèvement".

Incapable.

Elle sort sur la passerelle, regarde les feuilles des arbres miroiter sous le soleil. Toutes ces ruines… Si l'avènement des néomorphes répondait à quelque dessein cosmique, de brillantes civilisations ont tout de même disparu. Quelle conduite adopter envers les survivants de ces civilisations?

Elle se sent très seule.

Elle avise la coursive des cabines, déserte.

Elle hésite, puis ouvre la porte des quartiers de Neptah.

Elle reste un instant sur le seuil de la petite pièce, à peine assez grande pour une personne. La couchette, la malle du Nohaum en dessous, le pupitre encombré de blocs-notes virtuels, la cage de Renardeau par terre, en dessous des vareuses suspendues à deux crochets. Renardeau, qui a conservé son nom initial.

Accroché avec les vareuses, un masque de rechange.

Arhiann prend l'objet, en suit les contours du doigt. *Quel visage recouvres-tu vraiment, masque? Qu'y a-t-il autour des yeux bruns que j'ai vus?*

Des yeux bruns. Comme ceux de Mélarus. Mélarus qui nourrissait les oiseaux du coin. Mélarus qu'elle aimait enlacer, qu'elle autorisait à lui brosser le pelage. Les longues nuits secrètes à partager leur chaleur dans une confiance mutuelle, le frisson de l'un lorsque les griffes de l'autre rebroussaient doucement sa fourrure…

Et puis Rowler a défié Mélarus. Maudite société guerrière: l'Ourag valeureux doit s'illustrer au combat, un Ourag qui ne sait pas se battre est un Ourag mort… Tout est prétexte au duel, comme si seule la force pouvait trancher les différends. Son père l'avait empêchée de protester: « Arhiann, je sais que les coutumes ouragues deviennent obsolètes, mais nous ne changerons pas notre peuple en un jour. Il faut respecter la coutume pour charmer les traditionalistes et ainsi les transformer à leur insu. La demande de Rowler est légitime, même si elle me répugne autant qu'à toi. »

Et la bonne petite Ourague de ne rien dire, de laisser Mélarus se faire tuer. Un accident. Ou non. Aucune importance, c'était un duel en bonne et due forme, devant témoins. Et l'obéissante petite Ourague de se soumettre au vainqueur.

S'apparier à Rowler signifiera-t-il donc son effacement à elle? Mais comment s'en sortir? Aucun mâle n'osera l'approcher tant que Rowler sera là. Il les défierait, c'est un haut gradé dans la Chefferie, l'héritier d'une lignée admirée…

Ce masque… Elle glisse un peu le museau à l'intérieur. Une odeur évanescente qui, de près, se révèle très complexe. On n'en finit pas de la démêler, sans pouvoir tirer de conclusions sur son origine. Une énigme, cette odeur. Comme Neptah.

Quelle étrange créature. Aucun besoin du sexe opposé pour réussir sa vie, les machines se chargent de la reproduction. Il est

tellement libre qu'il a pu quitter la voie tracée pour lui. Il en
souffre peut-être, mais c'est mieux que la mort dans laquelle il
aurait vécu.

Celle dans laquelle elle va s'enfoncer.

Les étoiles. Petite, elle rêvait de visiter les étoiles.

Rowler l'ignore. Neptah est le seul être au monde à être au
courant.

Elle raccroche le masque et gagne le local psychom.

✦

« Maître Neptah, venez vite ! »

Ce dernier redresse la tête, comme Renardeau enroulé sur
son ventre. C'est Grimmurr qui cogne ainsi à sa porte, en pleine
nuit ?

Il quitte sa couchette et ouvre après avoir enfilé son masque.
Le schème du sergent est un bouillonnement de honte. Et une
panique totale. Son armure est tachée de sang.

« Pardonnez-moi, halète Grimmurr. Je ne voulais pas, mais
c'était un ordre…

— Mais… De quoi parlez-vous, sergent ?

— Venez sur le pont. Je ne pouvais pas désobéir… »

Après avoir enfermé Renardeau dans sa cage, Neptah monte
sur le pont à la suite de Grimmurr, en achevant de boucler sa
vareuse.

Deux puissants projecteurs dissipent la nuit, focalisés sur le
commando, encore en armure, qui décharge d'un coléoptère
quatre filets agités de soubresauts. Et d'où s'élèvent des cris
d'enfants terrifiés.

On débarque l'un des membres du commando sur une civière ;
son armure est maculée de poudre rouge. Les cinq autres en sont
couverts aussi, leur masque à gaz pend autour de leur cou.
D'autres taches, plus foncées, encrassent également leurs armures.

Du sang.

Ils n'ont pas osé… Un commando parti sans prévenir en pleine
nuit, cette poudre écarlate, ce sang… Neptah les voit envahir
l'ancien centre commercial, lancer des filets, essuyer des jets de
poussière-espion. Les Ourags ont des masques, ils résistent aux
fantômes. Et face aux mutants qui luttent, ils tirent ou les as-
somment d'un cri.

« Pardonnez-moi, gémit Grimmurr, les oreilles basses.

— Grimmurr, lance Ter-Holf en retirant son casque d'assaut, viens nous aider. »

Le sergent s'avance vers les filets, penaud. L'un d'eux se déchire et un enfant roule à l'extérieur en appelant à l'aide. Grimmurr le prend dans ses bras, le caresse, lui chuchote de se calmer. Le petit mutant semble s'apaiser. Le sergent n'a-t-il pas joué avec eux à plusieurs reprises ?

Neptah s'avance lorsque Arhiann arrive derrière lui et le retient par l'épaule pour le dépasser, crinière hérissée. « Ter-Holf, qu'est-ce que ça signifie ? »

Le lieutenant retire le plastron de son armure et répond avec la désinvolture d'un fonctionnaire, torse nu : « J'exécute les ordres de Rowler, Capitaine. »

Il lui tend un papier dont elle s'empare, babines retroussées.

« Le traître, marmonne-t-elle en le lisant. Il m'avait promis une discussion publique…

— Il n'avait pas à le faire. Nous respectons simplement les ordres de la mission. Nous devons ramener les spécimens sur l'*Awernarr,* où ils seront placés sous ma responsabilité. Si vous persistez dans votre insubordination, on élargira le champ de mes responsabilités. »

Il a parlé bien fort, pour que tout l'équipage l'entende. Neptah avance vers Grimmurr afin de rassurer l'enfant. Ter-Holf lui bloque le chemin avec le bras, trop brusquement pour qu'il évite de se cogner la gorge dessus.

« Reste en dehors de ça, Nohaum. »

L'enfant donne un coup de coude dans l'entrejambe de Grimmurr et bondit sur Ter-Holf. Le lieutenant ne le frappe pas pour le repousser : il le percute d'un cri.

L'enfant se tétanise puis s'effondre, secoué de spasmes.

La gorge endolorie, Neptah se dérobe, passe sous le bras du lieutenant et relève l'enfant.

Son schème… Le sang ralentit dans les artères, l'électricité cérébrale diminue, s'éteint.

Il est mort.

Faiblesse cardiaque, probablement. Avec le traumatisme de son enlèvement, un choc de plus suffisait à l'achever.

Neptah se relève. Ce bourdonnement dans sa tête… Est-ce son sang qui cogne dans ses artères ? Une haine pure l'envahit, déferle dans son poing qui se détend brutalement pour s'enfoncer dans le ventre de Ter-Holf. Le lieutenant se plie en deux avec un grognement surpris, tombe assis au sol. Neptah se jette sur lui, mais quelqu'un le retient par-derrière. « Boucher ! hurle Neptah. Monstre ! »

Souffle coupé, l'autre se relève, une main sur le ventre, la crinière hérissée. Il s'approche pour écumer à quelques centimètres du visage de Neptah : « Sale fantôme ! Affronte-moi dans les règles et je te transformerai en charpie !

— Tu n'en feras rien », lance la voix d'Arhiann.

Neptah se débat : c'est elle qui le tient, mais elle le tient bien.

« Je te défie, Nohaum ! crache Ter-Holf.

— J'accepte ! hurle Neptah.

— Non ! C'est moi qui le combattrai ! » aboie Arhiann.

Neptah cesse de se débattre. Une chape de plomb s'abat sur ses épaules. La capitaine le lâche en disant, d'une voix métallique : « Je peux me substituer à un belligérant appartenant à une race étrangère. Neptah n'est pas un Ourag.

— Foutaises ! éructe Ter-Holf.

— J'applique la tradition à la lettre. »

Le lieutenant parcourt la foule du regard. Tous, Ourags et Phytos, contemplent la scène sans mot dire. Tous guettent la réponse de Ter-Holf avec surprise, effroi et même, chez certains, excitation.

Le lieutenant se redresse avec superbe : « Très bien. »

◆

Le soleil approche du zénith. Neptah descend sur le pont latéral tribord, en saillie comme une terrasse au-dessus de la coque de l'*Awernarr*. Plusieurs Ourags s'y sont rassemblés pour regarder le combat. Ter-Holf attend déjà au sol. Devant lui, à dix mètres, deux bâtons métalliques se dressent, fichés dans le gravier. Quatre Ourags attendent autour. Les témoins.

Neptah détaille la musculature du lieutenant. Il est beaucoup plus robuste qu'Arhiann. Et les murmures des Ourags attisent ses craintes : « Elle n'a aucune chance… Elle va se faire humilier… Vous pensez qu'elle s'en tirera ? »

Elle peut s'en tirer, oui. Neptah l'a vue s'entraîner : elle peut se montrer redoutable… Il ne l'a jamais vue affronter Ter-Holf, toutefois.

Tout cela pour des paroles irréfléchies. Il a honte de lui. Comment a-t-il pu perdre à ce point son sang-froid ?

Le schème toujours penaud, Grimmurr mâchonne sa pipe, appuyé au bastingage. Lorsque Neptah passe à côté de lui, le sergent lui serre fugitivement l'épaule.

Arhiann se dirige vers la passerelle qui descend au sol. En trois bonds, Neptah l'intercepte. « Capitaine, arrêtez. Je retirerai mes propos envers Ter-Holf, je n'ai aucun honneur à perdre. »

Elle lui adresse un sourire dur, tout en finissant d'enrouler un bandage autour de ses mains. « Tu l'as frappé, pas seulement insulté. Quant à l'honneur, c'est le mien que je tente de retrouver. »

Elle descend.

La honte s'alourdit du sentiment d'avoir ajouté une maladresse à sa conduite d'hier soir. Il aurait dû lui dire autre chose. Mais quoi ?

◆

Arhiann promène un regard circulaire sur la cuvette, les ruines, les flancs orangés du vaisseau, l'équipage massé contre le bastingage… Le gravier brûle à travers ses bottes-sandales, mais on dirait que la chaleur provient d'une autre dimension. Elle se sent ailleurs aussi. Elle s'est déjà sentie ainsi, lorsque Mélarus a été tué. Elle avait eu l'impression d'être devenue une autre Arhiann que celle promise par le destin, l'Arhiann qui aurait achevé sa vie avec Mélarus. Au fond, elle n'a jamais été elle-même, ces cinq dernières années. Maintenant, l'Arhiann des premiers temps, celle qui se battait à l'école pour ses idées, vient de resurgir.

Elle renoue avec elle-même. Avec ce qu'elle a toujours été.

Elle arrive aux deux bâtons de combat. Ter-Holf attend de l'autre côté, ses énormes bras croisés sur son torse nu.

L'un des témoins s'avance, un exemplaire de la morale ourague entre les mains. Protocole. Même pour encadrer un acte aussi absurde qu'un duel. « Lieutenant Ter-Holf de Fenrer, à titre d'offensé, vous demandez le règlement par duel selon nos usages à la capitaine Arhiann Arnhanm, substitut de l'offensant principal, l'archéologue Neptah Horakthy, Nohaum et donc soustrait à nos lois. Acceptez-vous, capitaine, ce duel pour l'honneur d'un Nohaum ?

— Oui.

— Les deux parties s'accordent pour qu'aucunes représailles n'aient lieu contre le vainqueur de la part des proches du vaincu ?

— Oui, dit Ter-Holf.

— Oui, dit Arhiann après une courte hésitation.

— Que votre force et votre adresse aillent dans le même sens que la vérité », conclut le témoin en s'écartant.

Arhiann saisit l'un des bâtons fichés dans le sol en évaluant sa légèreté. Ter-Holf lance, en prenant le sien : « "Pour l'honneur d'un Nohaum". Absurde.

— Neptah a plus d'honneur que toi et moi. »

Comme elle s'y attendait, c'est Ter-Holf qui ouvre les hostilités en poussant un cri tétanisant. En une seconde, il se trouve près d'elle. Elle bloque le bâton de son adversaire et s'esquive sur le côté, laissant le lieutenant passer tout droit. Elle lui lance au passage un cri aigu qui le fait sursauter et lui assène un coup de bâton sur le dos. Ter-Holf pousse un grognement, se retourne.

« Quelle détermination ! Tu aimes ce Nohaum plus que ta race... »

Il lâche un autre cri. Elle sursaute. Ter-Holf se précipite sur elle. Ne pas céder à la stupéfaction, penser à elle, à Neptah qu'elle doit sauver. Elle lui enfonce un pied dans l'estomac et le catapulte par-dessus sa tête en rugissant. Avec un couinement surpris, le lieutenant se retrouve face dans le sable.

Arhiann coince l'extrémité de son bâton sur sa nuque.

Quelque chose éclate à la périphérie de son champ de vision, en répandant une brume rouge.

◆

Neptah sursaute. Des dizaines d'autres explosions font s'épanouir des buissons de fumée sur le sol, fumée qui s'étale en une brume opaque recouvrant tout. Des sirènes entrent en action, tétanisant ses muscles pendant une seconde. Il n'a jamais entendu ces alarmes... Les détecteurs de mouvements !

Avant que la brume se referme complètement, en donnant l'impression que l'*Awernarr* flotte sur un nuage, il aperçoit un fourmillement sur les bords de la cuvette. Des mutants, des centaines de mutants qui grouillent à la périphérie, certains jaillissant du sol comme des insectes.

« Tous à vos postes ! » crie une voix ourague – Grimmurr sans doute.

Neptah peine à reprendre ses esprits. Comment les mutants ont-ils pu approcher autant sans être repérés ? Par le sous-sol ? le métro ? les égouts ? Impossible de surveiller tout le Moscou souterrain, dont les entrées ont disparu sous les décombres. Mais les mutants les connaissaient, ces accès, ils ont pu se rendre assez près du vaisseau pour attaquer. Avec de la poussière-espion, peut-être employée avec d'anciennes armes fumigènes.

Panique et branle-bas de combat alentour. Neptah hésite. Que faire ? Doit-il seulement agir ? La brume rouge arrive au bastingage, déroule ses volutes sur le pont. Un Phyto s'effondre, victime des fantômes. L'un des témoins du duel, émergeant de la passerelle qui conduit au sol, rampe pour fuir un ennemi invisible, malgré la lame fichée dans sa cuisse.

Arhiann ! Elle est encore en bas, sans arme à part son bâton.

Explosion de mitraillettes : les soldats ont enclenché les défenses de l'*Awernarr*. Cela va peut-être tenir les mutants à distance, mais pas la poussière…

Ce sifflement. Les anneaux à hélium vibrent. On les remplit.

L'*Awernarr* va décoller.

On ne peut pas abandonner Arhiann ! Neptah grimpe sur le pont principal, trouve Grimmurr : « Il faut aller les chercher ! Les masques, mettons les masques…

— Il n'y en a pas assez, ce n'est pas une mission de combat ! hurle le sergent dans la tourmente. Les humains sont plusieurs centaines ! On ne pourra pas leur tenir tête avec notre armement. On doit se réfugier en hauteur avant de tous y laisser notre peau ! C'est dans le protocole ! »

Neptah regarde le nuage se propager sur le pont latéral, en contrebas. Il n'a pas besoin de masque, lui. Il l'a déjà vérifié, cette nuit où il a accidentellement partagé ses pensées avec Arhiann. Il peut reconfigurer son système nerveux pour triompher des fantômes…

Neptah bondit sur le pont latéral et s'engouffre dans la passerelle qui descend au sol.

Derrière lui, la voix de Grimmurr l'exhorte à revenir.

◆

Ter-Holf ne sait plus où regarder. Explosions. Hurlements. Crépitement saccadé des mitraillettes. La fumée. Les flammes. Des humains et des Ourags qui s'affrontent, des humains et d'autres néomorphes, comme des méchas et des Phytos, des vaisseaux qui filent dans le ciel, jaillissant des fumées qui émanent de Moscou incendiée ou s'y engouffrant.

C'est la poussière-espion. Ce n'est pas la réalité...

Quelque chose s'abat sur son museau, une douleur froide. Il hurle. Non, les hallucinations ne peuvent faire mal... C'est la guerre, la vraie. Les troupes de la mort de Verevkine. Il y est toujours !

Un autre coup, sur la nuque cette fois. Il tente de se relever, brandit son bâton à travers les images. Un choc sourd, il a fauché des jambes invisibles... Un cri plus réel résonne à travers les hurlements fantômes. Des humains se cachent derrière. Cette puanteur dans le chaos... Il ferme les yeux, tente de repérer les humains à l'odeur... Son mufle est irrité, les émanations des humains s'agglomèrent... Il y en a trop !

« Maudits humains, je vous aurai ! C'est nous qui avons gagné ! Nous ! »

Une douleur atroce dans le bas du dos.

Il s'effondre dans le gravier.

Sans lignée... La honte ultime. Il ne laisse aucune lignée.

Maudits humains.

◆

Neptah descend la passerelle qui conduit au sol. Avant de plonger dans le nuage, il ferme les yeux, se concentre. Canaliser les informations dictées par la poussière-espion vers ses mémoires externes plutôt que vers le cortex visuel. Faire parvenir à ce même cortex, par d'autres voies, ce que perçoivent ses yeux... Il y est déjà arrivé, il peut le refaire.

Il rouvre les yeux et descend dans la brume écarlate.

À peine pose-t-il un pied sur le sol que des flammes l'entourent, survolées par des vaisseaux d'un autre âge. Des humains et des néomorphes s'empoignent, se massacrent, tantôt réels, tantôt fantomatiques. Soudainement, les fantômes deviennent translucides. Il les distingue des ruines, des plantes... et des mutants. Des centaines de mutants bien réels qui entourent la

cuvette, vomis par le sous-sol moscovite. Ils lancent des projectiles rudimentaires sur l'*Awernarr* ou tirent avec de vieilles armes.
Certains s'effondrent sous les tirs des Ourags. À quelques mètres
de lui, quatre adolescents achèvent de massacrer Ter-Holf, le
transperçant encore et encore de leurs lances. Les trois autres
témoins ne sont plus que des charognes ensanglantées. Arhiann !
Où est-elle ?

Elle gît à quelques mètres d'eux, inconsciente. Une mutante
debout près d'elle, armée, contemple le massacre de Ter-Holf.
A-t-on épargné Arhiann parce qu'on la considérait comme la
créature de Neptah ? Une créature blanche et angélique ?

Derrière Neptah, le sifflement des tubes d'hélium augmente
d'intensité.

Les assaillants de Ter-Holf lèvent la tête pour fixer Neptah.
Leur schème trahit surprise et indécision. Le considèrent-ils encore
comme un ange ? Il faut tenter la chance.

Il tend la main vers Ter-Holf. Il crie en russe : « Il est à vous. »
Puis il désigne Arhiann : « Elle est à moi. »

Il avance d'un pas résolu, relève l'Ourague et la charge sur
ses épaules, le nez envahi par son odeur musquée. Elle est lourde.
En serrant les dents sous l'effort, il l'entraîne vers la passerelle.

La jeune mutante n'a esquissé aucun geste pour l'empêcher,
intimidée, mais deux autres mutants s'interposent en pointant
leur lance sur lui.

Neptah arrache son masque en hurlant.

Les deux garçons épouvantés lâchent leurs armes et détalent.

La masse de l'*Awernarr* tremble. On a déclenché les réacteurs
à propulsion verticale. Dans un ultime effort, Neptah embarque
sur la passerelle au moment où l'appareil s'arrache du sol, dans
un vrombissement assourdissant. Son masque ballotte contre sa
joue gauche, retenue à sa casquette par une seule lanière.

Il arrive sur le pont latéral alors que le navire penche légèrement sur le côté pour amorcer sa montée. Le poids d'Arhiann
l'écrase, il étouffe presque. Il n'est pas fait pour porter de telles
charges ! Un de ses genoux fléchit, touche le sol. Il tente de se
redresser. Encore quelques pas. Il s'affaisse, sans lâcher son far-
deau. Non, il ne l'abandonnera pas ! Il resserre farouchement son
étreinte, agrippe de l'autre main les barreaux du bastingage,
s'accroche de toutes ses forces alors que la gîte augmente. Le
vent s'engouffre autour, mais il tient bon.

La gîte diminue, l'*Awernarr* se rétablit.

La tête d'Arhiann roule doucement contre son visage. Il sent sa fourrure caresser sa peau dénudée. Dénudée ? Son masque pend toujours contre sa joue gauche ! Si jamais elle ouvre les yeux…

Comme la fourrure d'Arhiann est douce, là, sur sa peau.

D'autres cris. Des appels. Grimmurr et Bolster se ruent sur le pont. Le Phyto relève la capitaine : « Brancardiers ! »

Neptah replace son masque tant bien que mal, la tête sonnante. L'*Awernarr* accélère, l'air agite les vêtements, pénètre avec plus de violence dans ses poumons. Une quinte de toux : la poussière-espion a irrité sa gorge.

Le sommet feuillu d'un gratte-ciel stalinien passe rapidement sur sa gauche.

Grimmurr lui prend un bras et le hausse sur son épaule pour le remettre sur pied. « Venez, Maître Neptah. Vous devez voir le médecin.

— Ça va aller.

— On n'abandonne pas un Ourag qui a prouvé son courage.

— Je ne suis pas un Ourag. »

Grimmurr l'entraîne vers l'infirmerie : « Maintenant, si. »

Philippe-Aubert CÔTÉ

D'après « Fantaisie sur un thème de Thomas Tallis »
de Ralph Vaughan Williams

Chicoutimien exilé à Montréal pour accomplir un doctorat en bioéthique sur les nanotechnologies, Philippe-Aubert Côté est, en période diurne, biologiste, enseignant et blogueur sur http://philippe-aubert.blogspot.com/. Il a déjà publié, entre autres, « Le Premier de sa lignée » (**Solaris** 168) et « Le Patient de l'interne Freud » (**Solaris** 172). « Pour l'honneur d'un Nohaum » est le second texte s'inscrivant dans le cycle des néomorphes.

CKRL 89,1 prépare une nouvelle image
et se fait belle pour ses fidèles auditeurs.

Le lancement : le 12 septembre.

SPECTACLES sur scène extérieure
ANIMATION pour toute la famille...
Archives orales de la Ville de Québec
Ateliers d'arts et métiers traditionnels
Jeux surdimensionnés
AutocART des Arts visuels
Épluchette de blé d'Inde

WWW.CKRL.QC.CA

Le Double d'éternité

par **Frédéric VACHER**

MJP

rnesto Garcia Perez fut l'une des figures artistiques les plus
estimées et admirées de son époque. Né à Buenos Aires le
1er juillet 2080, il suivit son père diplomate en Europe et
passa une partie de sa jeunesse en France, près de Paris. C'est
là qu'il découvrit les peintres de Barbizon qui, deux siècles plus
tôt, avaient immortalisé la forêt de Fontainebleau. Garcia Perez
en fut d'autant plus impressionné que la forêt avait entre-temps
disparu, ravagée par le grand incendie de 2065. La plupart des
biographes s'entendent sur ce fait : c'est devant la beauté des
œuvres de Corot, de Rousseau, de Dupré, comparée au désastre
de la réalité, que Garcia Perez fut poussé vers la peinture, désireux
de sauvegarder le Beau.

Il étudia dans les plus prestigieuses écoles des beaux-arts,
en Europe et en Asie. Il y démontra très tôt un talent incontes-
table pour le rendu des lumières, la suggestion des formes et le
clair-obscur. Passées ses œuvres de jeunesse, sa peinture prend
le parti de ne jamais copier la réalité, mais plutôt d'en extraire,
voire d'en imaginer, l'antique splendeur. Au lendemain de la
guerre civile japonaise, il ne retient, de l'archipel ruiné et saturé
de pollution, que la lumière du couchant se reflétant sur les
neiges du mont Fuji, neiges disparues de longue date, que seuls
ses yeux voient encore (Neiges du Fuji, 2101). Dans le sud de
l'Italie, sa vision sélective omet les champs d'éoliennes qui barrent
l'horizon pour rendre vie, en quelques géniales taches bleues,
brunes et rousses, à l'authenticité sauvage du maquis (La Ca-
labre au soleil, 2106). Sa Vision du Serengeti (2110), aveugle aux
rubans anthracite des autoroutes mais encore traversée par ces
troupeaux d'éléphants éteints cinquante ans plus tôt, achève ce
qu'il est convenu d'appeler sa « période imaginaire ».

À l'âge de trente-trois ans, Garcia Perez, de retour dans son
pays natal, devient le chef de file de l'école sauvegardiste, signant
le manifeste à l'origine du mouvement. « L'art doit nous sauver de
la fuite du temps, de la perdition du Beau, du règne de l'éphé-
mère », écrit-il, annonçant ainsi son entrée dans sa seconde manière, qui sera définitive. Dès lors, voyageant aux quatre coins
du globe, il entreprend de représenter les derniers vestiges de la
nature originelle. Il crée de la sorte en quelques années, accompagné de ses disciples, un ensemble artistique de plusieurs centaines d'œuvres, témoignage de ce qu'était le monde avant son
saccage. Le sublime y côtoie l'effroyable dans un déluge de couleurs, où le reflet des arcs-en-ciel de la Gaspésie au-dessus de
l'Atlantique se confond avec les nappes irisées d'hydrocarbures
dérivant sur l'océan (Reflets au Cap-des-Rosiers, 2111), où les
longues ombres vertes de la forêt centrafricaine nous laissent in-
certains sur la nature de ces réserves laissées à nos cousins les
grands singes, tant elles font penser aux barreaux d'une cage de
laboratoire (Gorilles en liberté, 2119).

Rapidement, d'autres formes d'art, de la musique à la sculpture, de l'architecture à la littérature, se réclamèrent du mouvement
sauvegardiste. On connaît l'ampleur prise par ce mouvement,
qui l'amena à s'inscrire sur la scène politique : il est inutile de
rappeler ici l'impact que le message ainsi diffusé eut sur l'opinion,

et son rôle dans les événements qui devaient amener la signature de la Convention de Casablanca.

Garcia Perez refusa pourtant jusqu'à la fin de ses jours de participer à quelque organisation politique que ce soit et s'en tint à son travail d'artiste, par modestie autant que par défaitisme. Peu convaincu, en effet, de la capacité de son œuvre à influer sur le monde, il déclarait quelques années avant sa mort : « Je suis un artiste qui, avec ses moyens d'artiste, a tenté de sauver le monde. Mais face à moi les techniciens, les économistes et les industriels ont des méthodes autrement plus efficaces pour l'anéantir. » Et, visionnaire, il ajoutait : « Même si, comme on le prétend, mon œuvre a inspiré de grandes décisions, d'importantes ententes mondiales, je ne crois pas qu'elle permettra de sauver l'Humanité du naufrage, de cette impasse dans laquelle elle s'est engagée voici deux siècles. »

Son dernier tableau, considéré comme l'aboutissement de son œuvre, témoigne de ce pessimisme. Il s'agit de la toile intitulée Le dernier arbre *(2161 ; voir l'illustration à la page 178). Dans un style épuré poussé à la perfection, Garcia Perez immortalise le dernier ginkgo biloba recensé en Amérique. La terre ocre, dominante, est sur le point d'engloutir le tronc et l'éclat jaune d'or du feuillage d'automne. Quoique robuste et superbe (on sait que le ginkgo fut le premier arbre à repousser sur les ruines d'Hiroshima), l'arbre n'en trahit pas moins sa fragilité face à la dévastation humaine.*

Ce tableau achevé, il résolut de ne plus jamais peindre, convaincu d'avoir atteint le sommet de son art. Il consacra la fin de sa vie à son épouse, Anna. Tous deux vécurent leurs dernières années à l'écart de la civilisation, dans un parc brésilien créé par le peintre sur les vestiges de la forêt amazonienne.

Peu de temps avant sa mort, Garcia Perez fit connaître son intention d'être intégré au collecteur d'âmes numérisées NIRVANA. Son paradis virtuel, son souhait pour l'éternité, était d'errer dans le Barbizon de la fin du XIXe siècle aux côtés de son épouse. Sa numérisation intervint le 13 juin 2178, jour de sa mort. Anna le rejoignit quelques mois plus tard.

Ernesto Garcia Perez ferma l'épais volume pour en relire le titre, inscrit en lettres d'or sur l'épaisse couverture de cuir rouge :

ENCYCLOPÉDIE DES DERNIERS PEINTRES TERRIENS
Par P. K. BRADLEY
2e ÉDITION, janvier 2382 (84 NE)

Il reprit la page le concernant et relut les dernières lignes de l'article : « Son paradis virtuel, son souhait pour l'éternité… »

Cette éternité avait pris fin deux jours plus tôt. Il s'était réveillé à sa plus grande surprise dans un corps sensible, dont les traits étaient les siens à l'âge de trente-trois ans. Un corps dont il savait intimement qu'il n'était pas le sien, conçu dans le but de confiner son esprit dans une existence physique qui l'écœurait. Un corps étranger, androïde peut-être, suffisamment perfectionné en tout cas pour reproduire à merveille – il l'avait constaté – le fonctionnement physiologique, la respiration, la faim, la digestion, l'expulsion des déchets ou la fatigue.

Il avait pourtant espéré, le jour de sa mort, tandis que les électrodes destinées à la numérisation lui étaient apposées, que jamais plus son esprit ne serait retenu par une enveloppe physique. Telle était la promesse de NIRVANA, complexe informatique dans lequel les personnalités numérisées étaient plongées dans l'éternité de leur choix.

On était venu le chercher, le déraciner, l'arracher à son paradis virtuel de chênes centenaires, dans la forêt de Fontainebleau qu'il arpentait en compagnie d'Anna. La chaleur du soleil, la caresse du vent… ils étaient hors du temps dans une succession d'instants indéfinis, illimités, sans lassitude. Anna et lui étaient *ensemble*, bien plus qu'ils n'auraient pu l'être dans la vie terrestre : leurs âmes étaient mêlées, indissociables, et partageaient tout dans une osmose de sensations et de plaisirs.

Et à présent, il se retrouvait tout seul, sans Anna… Où ? Il l'ignorait, enfermé depuis deux jours dans cet appartement aux murs tapissés de vert et de rose. Toutes les pièces étaient aveugles et il y était seul.

Sa mélancolie était attisée par les photographies accrochées aux murs, agencées sans aucun souci chronologique ou esthétique. Certaines étaient très anciennes. Manhattan. Le Corcovado. L'un des derniers clichés, célébrissime, de l'aéroport de Malé englouti par l'océan Indien. Selena Berg, la première cantatrice virtuelle, sur la scène de l'opéra de Lagos. Il se souvenait d'être allé l'écouter à Paris, en 2119 ou 2120, pour la première d'*Alcina*. Le pont de Londres pris dans les glaces de la Tamise pendant le grand hiver de 2098. Il se revit descendre le fleuve en patinant. Un certain nombre d'autres clichés ne lui évoquaient rien, ni lieu ni événement.

L'unique visiteur était un robot domestique qui allait et venait à heures fixes, en émergeant d'une trappe qui s'ouvrait dans le plancher. L'épaisse porte de bois, à l'extrémité du salon, restait verrouillée. Le premier jour ayant suivi sa « résurrection », il avait passé plus d'une heure à frapper cette porte en appelant. Personne n'était venu. Seul le tic-tac monotone d'une horloge suspendue au mur brisait le silence. Depuis deux jours, le temps s'écoulait entre méditations égarées, repas et sommeil.

Ernesto dormait d'un sommeil sans rêve pour dissiper une fatigue qui semblait programmée et tombait comme une chape de plomb en même temps que l'éclairage. Il mangeait pour combler une faim qui survenait à heure fixe avec la soudaineté de l'éclair et la régularité d'un métronome, au moment précis où le robot serviteur surgissait du plancher. Il supposait que cette faim et cette fatigue n'avaient d'autre but que de simuler une vie organique dans la carcasse sans doute artificielle qui lui tenait lieu de corps.

Le plaisir, cependant, était accessible à cet organisme. Fumer, par exemple. Maigre consolation, en fait, mais dont Ernesto ne s'était guère privé depuis deux jours, ayant trouvé sur sa table de chevet un briquet, une blague remplie de tabac gris et une pipe. Il avait retrouvé les gestes familiers, l'odeur un peu lourde, l'apaisant grésillement au creux du foyer qui éveillaient en lui une multitude de réminiscences de sa vie passée. Passée : depuis quand ?

L'encyclopédie qu'il avait en main ne l'éclairait guère quant à sa situation. Elle avait été déposée près de lui durant son sommeil. D'abord sidéré par le titre, comme par la date de l'édition, il avait feuilleté l'ouvrage, observé les reproductions de tableaux qui accompagnaient le texte. Il avait lu des articles concernant des artistes morts avant sa naissance ou des contemporains qu'il avait eu l'occasion, pour la plupart, de croiser. Il avait relevé ainsi quelques inexactitudes ou exagérations. Il fallait le reconnaître, sa biographie était l'une des plus soignées, et la reproduction du *Dernier arbre* qui l'illustrait était de qualité honorable.

Un certain nombre d'articles concernaient des peintres inconnus de lui, dont la carrière et parfois l'existence avaient débuté après sa mort. Ils étaient peu nombreux, du reste. Cet ouvrage, son titre, le fait que le dernier peintre évoqué ait achevé son existence cent vingt ans avant la date de parution, lui donnèrent à réfléchir. Les derniers peintres *terriens*. Étrange expression… Il médita de longues minutes, assis dans un volumineux fauteuil Louis XV, l'encyclopédie posée sur les genoux, ouverte à la page qui lui était consacrée.

Il entendit un bruit venant de la porte du salon, dans son dos, puis des pas dans la pièce et se retourna. Un homme vêtu d'une combinaison grise, assez jeune, portant barbe et cheveux longs, se tenait immobile sur le seuil. Une arme dans un étui pendait à sa ceinture. Il sourit, puis s'avança dans le salon d'un pas décidé, pour s'asseoir dans le fauteuil placé en face d'Ernesto.

Ils se dévisagèrent un long moment en silence. L'inconnu affichait un sourire calme et satisfait. Puis, il désigna du menton l'encyclopédie toujours ouverte :

« Il y a de quoi être fier, n'est-ce pas ? Ce doit être agréable de se savoir ainsi estimé.

— Pas tant que ça, répondit Ernesto d'une voix qu'il ne se connaissait pas. Personne ne devrait avoir à entendre son propre éloge funèbre, me semble-t-il. De même, personne ne devrait avoir à connaître le panégyrique qui lui est consacré deux siècles après sa mort. Vous n'êtes pas d'accord ? »

L'homme rit, comme s'il s'était agi d'un simple trait d'esprit. Ernesto, pourtant, était parfaitement sincère et une sourde colère s'était éveillée en lui. L'homme qui lui faisait face reprit son sérieux.

« Mon nom ne vous dira rien. Je m'appelle Daniel Vair. Je suis un homme d'affaires. Mon histoire importe peu, je pense, sachez seulement que c'est moi qui dirige ici. »

L'introduction parut d'une intolérable prétention à Ernesto, qui explosa :

« C'est donc à vous que je dois d'être séquestré dans un lieu dont j'ignore tout ? Vous qui prenez… que dis-je ? Vous qui *volez* mon esprit pour l'incarner dans ce simulacre de vie ? »

Il frappa sa poitrine des deux mains pour ponctuer sa question.

Daniel Vair prit un air ennuyé. Il s'appuya à l'accoudoir et posa son menton dans sa main, dans un mouvement et avec une moue très infantiles, comme l'aurait fait un jeune garçon embarrassé – qui ne doute pourtant pas que les choses vont s'arranger, ayant l'habitude que l'on cède à ses envies. Ernesto en fut effrayé.

L'autre le scrutait, la bouche déformée par une lippe stupide et puérile. Ernesto finit par rompre le silence, d'un ton rempli de mépris :

« Où sommes-nous ? Avez-vous tout oublié de l'utilité des fenêtres ? Ou bien n'y a-t-il plus rien à voir au-dehors ? »

Daniel Vair parut satisfait de cette nouvelle entrée en matière, comme si le dialogue, un instant ennuyeux, redevenait soudain passionnant. Il se redressa dans son fauteuil en reprenant son sourire :

« Oh, il y a *à voir*… Je ne voulais cependant pas trop vous perturber. Je sais que l'expérience que vous vivez est suffisamment traumatisante. C'est pourquoi on vous a laissé deux jours en isolement, le temps de vous acclimater à votre nouveau corps. Cela vous plairait-il de voir dehors ? »

Ernesto acquiesça, sur la défensive. Daniel Vair frappa dans ses mains, à la manière des anciens maîtres convoquant leurs domestiques. Mais aucun serviteur ne vint. Il n'y eut qu'un léger ronronnement, et Ernesto regarda, stupéfait, l'un des murs du salon s'escamoter. Ce mur, qui portait les photos de New York et de Rio, en s'enfonçant dans le plancher révélait une baie vitrée.

Une lumière saumon entra dans la pièce. Le paysage était lunaire, la vue à couper le souffle. Ils se trouvaient sur un plateau surplombant un canyon qui, vers la gauche comme vers la droite, s'étendait jusqu'à l'horizon. Dans cet espace illimité, les distances semblaient titanesques. Une brume de poussière ocre se déplaçait au ras du sol, poussée par le vent, balayant les roches et les falaises couleur rouille. Le ciel, où brillaient deux lunes minuscules, était traversé de nuées orangées, sable et terre de Sienne. De l'autre côté du canyon, dans cette immensité monotone, seule une tache verte, faisant contraste, attirait le regard. Elle se trouvait trop loin, cependant, pour qu'Ernesto pût en distinguer la nature.

Son visage androïde traduisit sans doute la stupeur qui le réduisait au silence, ce qui amusa son interlocuteur. Entre deux éclats de rire, Vair annonça sur un ton faussement solennel :

« Je vous souhaite la bienvenue sur Mars ! »

Ernesto s'arracha à la fascination du paysage pour regarder cet étrange personnage au comble de l'hilarité qui, visiblement satisfait de son effet de surprise, ressemblait de nouveau à un gamin fier d'avoir joué un bon tour. Ernesto se sentait désorienté, voire totalement perdu, plus isolé que jamais. Il se demanda fugitivement s'il était possible de sombrer dans la folie des siècles après être mort. Il avait un besoin urgent de réponses :

« Pourquoi m'avoir amené ici ? Qu'attendez-vous de moi ? »

Daniel Vair reprit son sérieux avec effort, écrasa une larme de rire :

« J'ai besoin de vous, de votre sensibilité. J'ai besoin de votre talent. Voyez-vous, je suis un peu mécène et j'aimerais vous passer une commande. »

Ernesto revint au paysage martien et s'abîma dans sa contemplation. Il garda le silence une bonne minute, rassemblant ses idées. Enfin, sans tourner la tête, il demanda :

« N'y a-t-il donc plus assez de peintres vivants, que vous soyez obligé de me ramener du passé ?

— Il n'y a que vous qui puissiez accomplir l'œuvre que je désire. Plus précisément, il n'y a que vous qui puissiez l'achever. Il s'agit d'un diptyque.

— Un diptyque ? » s'étonna Ernesto, détournant le regard de la plaine ocre pour le plonger dans celui de Daniel Vair.

Vair parut hésiter un instant, le sourire figé, apparemment satisfait d'avoir éveillé l'intérêt du maître mais incertain quant à la meilleure conduite à tenir pour pousser son avantage. Il déclara finalement :

« Je veux vous montrer quelque chose. Suivez-moi. »

Ils sortirent du salon et traversèrent un corridor dont l'un des murs de verre donnait sur l'immensité du plateau balayé de poussière corail. Après avoir descendu un escalier, ils empruntèrent un autre corridor, sans fenêtres celui-ci, qui les mena dans une coursive très large éclairée par des rangées de néons. Ils montèrent dans une sorte de monorail qui démarra lorsque Vair l'ordonna, d'un simple mot.

Ernesto put constater que les pièces dans lesquelles il venait de passer deux jours appartenaient en réalité à un vaste complexe creusé dans la roche et s'étendant sur plusieurs kilomètres et plusieurs niveaux. L'organisation évoquait irrésistiblement celle d'une ruche ou d'une termitière. Des individus marchaient à la file sur des plates-formes de part et d'autre du monorail, hommes et femmes aux visages pâles et ternes, tous vêtus de combinaisons grises et crasseuses. Incapable de vraiment regarder, les yeux comme couverts d'un voile d'hébétude, Ernesto restait incrédule devant ce monde souterrain.

Le monorail déboucha dans un vaste hangar et s'arrêta à proximité d'une navette bleue en forme d'ogive, où ils prirent place et se sanglèrent dans de confortables fauteuils de velours. Les moteurs furent activés aussitôt. Ernesto songea que, à une autre époque, Daniel Vair serait monté dans sa limousine en indiquant laconiquement une adresse à un chauffeur vêtu d'une livrée et d'une casquette noires. À présent, c'était au pilote qu'il avait annoncé leur destination, sous forme de coordonnées, laconiquement aussi, mais le pilote qui avait embarqué avec eux portait une combinaison grise, sans casquette. La navette prit verticalement son envol par un sas.

Du complexe qu'ils venaient de quitter, seuls quelques bâtiments bas étaient visibles ; l'essentiel devait être enterré et n'affleurait pas le sommet du plateau.

Ils survolèrent un temps le canyon, au fond duquel on devinait les tourbillons de sable soulevés par le vent ; puis ils obliquèrent en direction de la tache verte, cette petite tache qu'Ernesto avait remarquée depuis la baie vitrée du salon et qui contrastait tant sur le sol rouge. Cette tache verte grandit, devint plus nette, passa du vert pomme au vert émeraude, enfin fut incontournable, évidente, malgré l'immensité désertique qui l'encerclait. C'était leur destination.

Il s'agissait d'un arbre, d'une essence inconnue d'Ernesto, un arbre extravagant par sa forme et sa croissance, mais un arbre tout de même. Son tronc beige, lisse et malingre paraissait aussi souple qu'une tige de roseau. Il s'élevait pourtant à plus de trente mètres du sol. Les branches, tout aussi fines que le tronc, portaient en revanche des feuilles d'une largeur remarquable, des disques presque parfaits de plus d'un mètre de diamètre, très épais, du vert le plus intense qu'Ernesto ait jamais vu. L'arbre était soutenu par des racines, qui évoquaient des cannes, lancées par les feuilles depuis leur pétiole. Plongeant dans le sol tout autour du tronc principal comme autant de troncs auxiliaires, elles soulageaient celui-ci du poids énorme que devait représenter la frondaison.

Au pied de l'étrange végétal, en combinaison étanche – il s'avérait que son nouveau corps respirait réellement et n'était pas si mécanique qu'il se l'était imaginé – Ernesto écoutait les explications données par Daniel Vair, dont la voix déformée par le micro était encore plus nasillarde qu'au naturel. De toute évidence, l'homme aimait s'écouter parler :

« Voici la merveille conçue par mon équipe de généticiens. Je l'ai appelé l'Arbre de Mars. Il est adapté au sol et au climat martien, sous cette latitude en tout cas, et opère une reproduction végétative grâce aux rhizomes que vous voyez descendant de ses feuilles. La rosée du petit jour martien lui suffit à s'hydrater. Fantastique, n'est-ce pas ? »

Ernesto ne répondit pas, mais il devait bien reconnaître que c'était un spectacle fabuleux, plus stupéfiant que tout ce qu'il aurait pu imaginer. Daniel Vair gambadait autour de l'arbre, le nez en l'air ou collé aux rhizomes pour mieux en apprécier la texture, qu'il tâtait du bout de son gant. Il revint enfin vers Ernesto en quatre grands bonds de six mètres chacun, ce qu'autorisait la faible gravité.

« Comme j'aime me sentir léger, loin du générateur gravifique de la Colonie », lança-t-il d'un ton réjoui.

Cet homme était en réalité un gamin qui ne songeait qu'à s'amuser. Cette idée inquiéta de nouveau Ernesto. Un gamin très riche ou puissant, selon toute apparence. Un enfant gâté. Cet arbre était son joujou, et lui-même, ramené de force à la vie, en était un autre.

Le ton de Daniel Vair redevint pourtant très sérieux, tandis qu'il observait l'arbre avec passion :

« Cet arbre est notre espoir, ses feuilles sont l'oxygène de demain. Grâce à lui, les générations futures respireront librement sur cette planète. Ce n'est qu'un début. Bientôt ici s'étendra une forêt. »

Cela ressemblait à un discours appris par cœur. Puis il se tourna vers le peintre en le fixant avec intensité à travers les visières de plexiglas :

« Je veux que vous peigniez cet arbre. Voilà ma commande. »

Ernesto soutint son regard quelques instants, puis se dirigea vers la navette sans un mot. Il resta silencieux un long moment tandis qu'ils survolaient le canyon et revenaient vers leur point de départ. Il songeait à cet arbre, à cette colonie, à cet énergumène qui voulait verdir Mars… Tout cela avait-il un sens ?

Comme la navette engageait la manœuvre d'approche, il demanda :

« Et l'autre panneau ? Vous aviez parlé d'un diptyque.

— L'autre panneau existe déjà, répondit Daniel Vair, j'en ai fait l'acquisition voilà quelques années. Je vous le montrerai dès que nous serons arrivés. »

La navette se posa dans le hangar et ils reprirent le monorail. L'engin suivit des coursives, de longs tunnels sans fenêtres, creusés dans le plateau, où la lumière des néons, froide et terne, créait autant de jour que d'ombre. Ernesto observait avec attention les quais qui défilaient de part et d'autre du monorail et, en contrebas, ce qui ressemblait à une rue. De nouveau, il fut frappé par la monotonie de cette foule, de cette colonie qui dans son ensemble respirait la tristesse. Le tunnel principal suivi par le monorail donnait, à intervalles réguliers, sur des boyaux rectilignes moins larges, dont les murs étaient percés de portes.

« Ce sont des quartiers résidentiels ? » demanda Ernesto à Daniel Vair qui, le regard perdu, paraissait rêvasser.

« Oui, oui », répondit celui-ci d'un air distrait, comme si la question n'avait aucun intérêt à ses yeux. « Des zones d'habitations », précisa-t-il après quelques instants avant de replonger dans sa rêverie.

Sans doute était-il le seul à rêver. Quelques individus, l'air affreux dans leurs combinaisons grises, les cheveux ras aussi bien pour les femmes que pour les hommes, marchaient en file indienne à proximité du rail. Comme des images de pénitenciers lunaires lui revenaient en mémoire, il sembla soudain à Ernesto qu'il perçait à jour la nature véritable de cette colonie. Il fut saisi d'effroi à l'idée ce que pouvait être la vie souterraine et rampante de cette foule grisâtre. Une misérable existence de termite.

« Qui sont ces gens ? demanda-t-il brusquement.

— Des volontaires, répondit Vair sans hésitation.

— Mais on dirait des prisonniers.

— C'est ce qu'ils seraient réellement s'ils ne s'étaient pas portés volontaires ! rétorqua l'autre avec un sourire en coin. Ici, au moins, ils travaillent à la colonisation. »

Tandis que le monorail poursuivait sa route à travers le complexe pour une destination qu'il ignorait, Ernesto posa la question qui le terrorisait, celle dont il redoutait le plus d'entendre la réponse :

« Pourquoi Mars ?

— Pardon ? »

Vair semblait captif de sa rêverie. Il tourna à peine la tête, son regard restant vague, mais Ernesto insista :

« Vous parliez de colonisation. Pourquoi votre espoir prend-il racine sur cette planète ? Pourquoi Mars ? Pourquoi ne pas plutôt essayer de sauver la Terre ? Avec votre arbre "miracle"…

— La Terre, hein… » fit l'autre d'un air distrait. Puis, paraissant soudain saisir le sens de la question : « Oh, la Terre ! Oui, oui… bien sûr… mais la Terre n'existe plus, voilà le *hic.* »

Ernesto en eut le souffle coupé. Sans vraiment savoir ce qui le choquait le plus, du reste : la nouvelle, tant redoutée, que la Terre était morte, ou bien le détachement avec lequel Vair annonçait la chose. Il avait besoin d'en savoir plus :

« Comment ça, elle n'*existe* plus ? Vous voulez dire que l'humanité a finalement mené à bien son œuvre de stérilisation ?…

— Non, non, répliqua Vair, avec conviction cette fois. Disons que la nature s'est chargée d'achever le travail…

— La nature ?

— La nature, l'espace, appelez ça comme vous voulez. Un très gros caillou dont la trajectoire a croisé la nôtre. »

Il accompagna son explication d'un vigoureux coup de poing dans la paume de sa main gauche.

« Ça n'a pas été une surprise, remarquez bien. Les calculs scientifiques avaient prévu l'impact une bonne dizaine d'années avant qu'il ne se produise. Mais toutes les fusées du monde ne pouvaient suffire à détourner le… l'astéroïde… la comète, je ne sais pas trop. Je n'y étais pas. Tout ce qui était envisageable, c'était de fuir… »

Ernesto resta un instant silencieux.

« Mais après l'impact ? demanda-t-il, pourquoi n'être pas retournés là-bas après l'impact ? »

Vair le fixa avec intensité :

« Là-bas ? Mais il n'y a plus de *là-bas*, n'écoutez-vous pas ce que je dis ? L'astre qui a percuté la Terre était d'une taille effrayante, il a brisé l'écorce terrestre. Crac ! » De nouveau, il se frappa la paume. « Les débris ont fusionné en une sphère de lave. Comme si la Terre était revenue à ses origines, il y a quatre milliards et demi d'années ! »

Tout se bousculait dans la tête d'Ernesto et une terrible angoisse s'emparait peu à peu de son corps d'emprunt. Il trouva l'énergie de demander :

« Et l'humanité ? Et la vie ?

— Oh, un peu ici, pas mal au-dessus de nos têtes, dans des stations orbitales construites à la va-vite. Un échantillon, en somme, vaguement sélectionné, mais sans plus. Tout est à refaire, et Mars est pour le moment la seule solution. Une chance pour vous — pour nous — que NIRVANA ait été mis sur orbite quelques années après votre mort. Coup de bol, pas vrai ? Il a suffi de le récupérer et de le mettre en orbite autour de Mars. »

Ernesto se demanda en quoi il s'agissait d'un « coup de bol ». Il laissait la multitude des questions tournoyer dans son esprit. Voulait-il vraiment savoir ?

« Depuis combien de temps êtes-vous ici ? »

Vair parut hésiter un instant.

« Si vous me demandez quand la catastrophe a eu lieu, je vous répondrai simplement que nous sommes en l'an 347 de la Nouvelle Ère. Quant à moi… je suis sans doute là depuis trop longtemps… »

Sur cette phrase énigmatique, il se tut, les yeux tournés vers la vitre où défilaient des kilomètres de galeries creusées dans la roche. Ernesto, désespéré autant que désorienté de se savoir si loin dans le temps et de tout ce qu'il avait connu, renonça à briser le silence.

Ils quittèrent finalement le monorail devant une porte voûtée et blindée, dont l'ouverture s'effectuait par une identification palmaire. Vair y colla sa main. Ils entrèrent dans un vestibule aux murs couverts de boiseries, du vieux bois, du vrai bois qui venait de la Terre à n'en pas douter, et Ernesto ne put s'empêcher d'y poser la main, de le caresser en passant. Puis ils pénétrèrent dans une pièce assez grande plongée dans la pénombre. Aux angles des murs, des luminaires sur pied diffusaient un éclairage tamisé.

Vair actionna un interrupteur et une trentaine de petites lampes éclairèrent chacune, d'une lumière douce et neutre, le tableau qu'elles surmontaient. Certaines peintures étaient accrochées aux murs, d'autres placées sur des chevalets au milieu de la pièce. Ernesto reconnut en un clin d'œil la plupart des œuvres : Rubens, Poussin, Turner, Manet, Kandinsky, Dali, Hopper, Togolovitch… Il y avait là un échantillon des tableaux les plus célèbres de l'histoire de la peinture depuis huit siècles au moins, une collection inestimable dont Ernesto ne pouvait cependant oublier qu'elle se trouvait – avant sa mort – dans des musées, sur Terre. S'agissait-il des seuls vestiges de la peinture occidentale ? Une galerie de trente toiles conservées comme des reliques ?

Vair semblait à nouveau pris d'une crise d'excitation extrême. Il entraîna Ernesto à travers la pièce, sans s'inquiéter un instant de son possible désarroi ni de l'étonnement que ne pouvait manquer de susciter chez lui une telle collection. Ils s'arrêtèrent devant une toile presque carrée, d'environ un mètre de côté, placée sur un chevalet.

« Vous le reconnaissez ? » fit-il en désignant la toile d'un geste théâtral.

La question était de pure forme. Comment, en effet, n'aurait-il pas reconnu un tableau qui lui avait demandé tant d'efforts, qu'il avait considéré comme l'aboutissement de toute son œuvre ? La vision, pourtant, semblait irréelle. Ce tableau peint des siècles plus tôt, ce *Dernier arbre*, pouvait-il encore exister ? Il avait peine à croire que rien ni personne ne soient venus le détruire. Ce tableau avait survécu à l'apocalypse, et le fantôme de cet arbre disparu depuis si longtemps se trouvait à présent sur une autre planète, dans un autre monde. Et c'était là ce que Daniel Vair appelait le premier panneau de son diptyque.

Un projet plutôt simpliste, en fin de compte : le *Dernier arbre*, qu'il avait réalisé pour immortaliser la tragédie terrestre, en forme de dernier avertissement, ferait face au *Premier arbre*, promesse de vie renouvelée, sur une autre planète.

Vair admirait le tableau comme s'il le découvrait pour la première fois.

« Vous comprenez que vous seul pouvez terminer ce diptyque, dit-il sans le quitter des yeux.

— Je n'ai jamais commencé de diptyque, répliqua Ernesto avec amertume. Ce tableau n'a pas été conçu dans cette optique, je l'ai peint seul, isolé, et tout son sens réside dans cette solitude.

— C'était il y a si longtemps, reprit Vair tranquillement.

— Et dans un autre monde… Que gagnerais-je à peindre votre tableau ?

— C'est l'occasion d'achever votre œuvre. »

Ernesto se plaça devant Daniel Vair pour le regarder bien en face et martela :

« Je n'ai aucune envie d'être peintre pour l'éternité. Je suis peut-être l'un des rares artistes à considérer son œuvre comme achevée. Vous pouvez bien juger que ce n'est pas une pensée d'artiste, je m'en moque ! Pourquoi croyez-vous que j'ai peint mon dernier tableau – *ce* tableau, fit-il en désignant la toile posée devant eux – à l'âge de quatre-vingt-un ans, pour mourir à quatre-vingt-dix-huit sans avoir jamais retouché à un pinceau ? Je m'étais bien juré de ne plus peindre ! J'estime que mon œuvre – malgré son inanité criante – me donne le droit d'accéder à ce qui me tient le plus à cœur, à ce que j'ai tant poursuivi, dont j'ai tant cherché à sauvegarder les vestiges, à cette Nature que je n'ai jamais vraiment vue en réalité mais dont j'ai tant rêvé ! »

Daniel Vair avait écouté sans ciller. Il semblait particulièrement désappointé, mais son visage ne reprit pas l'expression puérile qu'Ernesto lui connaissait déjà trop. Comme si le fait de lui mettre les points sur les *i* l'avait guéri de toute futilité, il demanda d'un ton rude, très adulte, le ton d'un homme d'affaires désireux de conclure un marché :

« Allons, que voulez-vous en échange ? »

Ernesto prit quelques instants pour réfléchir. Il entrevoyait une porte de sortie, une échappatoire.

« Je veux être ramené dans mon Paradis, je veux être réimplanté dans ce satané NIRVANA, dont vous n'auriez jamais dû me sortir. »

Vair parut surpris par la demande, mais répondit avec fermeté :

« Je n'avais pas envisagé que vous puissiez formuler un tel vœu, mais… Admettons ! J'y gagne l'une des œuvres majeures, l'une des plus incroyables de la Nouvelle Ère. C'est d'accord, marché conclu. »

◆

Ernesto se mit au travail dès le lendemain. Un atelier avait été aménagé dans une petite serre pressurisée bâtie à proximité de l'Arbre de Mars. Chaque matin, il faisait le tour du végétal. Les nuances inouïes de l'aube martienne, les mille reflets verts du feuillage sur le rouge minéral omniprésent, les ombres démesurées de la forêt de rhizomes-cannes, tout cela ne cessait de le surprendre. Il remplissait un carnet de croquis, réalisait quelques photographies puis revenait à l'atelier. Une navette le ramenait chaque soir à la colonie.

La toile avait des dimensions rigoureusement identiques à celles du *Dernier arbre*. Les pigments mis à sa disposition étaient d'excellente qualité et il ne pouvait nier le plaisir qu'il éprouvait à mélanger et à étaler les couleurs. Il retrouvait d'anciennes sensations, d'anciennes odeurs associées à des souvenirs très précis : la térébenthine – ou l'ersatz qu'on lui avait fourni, mais qui en avait l'odeur – et le tabac, dont Vair lui avait assuré qu'il ne manquerait pas, étaient indissociables du visage et de la voix d'Anna. Des années durant elle s'était plainte, non sans une certaine tendresse, de l'infecte odeur qui régnait dans l'atelier et l'avait fréquemment averti du danger qu'il y avait à manipuler un briquet si près de produits inflammables. Aucun incident ne s'était jamais produit, mais l'odeur hantait encore l'atelier bien des années après qu'il eut cessé de peindre. C'est cette même odeur qu'il retrouvait à présent, hantant cette serre perdue quelque part sur Mars.

Il avait craint, au début, que ce corps qu'il habitait ne le trahisse et ne soit pas aussi habile au dessin qu'aurait pu l'être un corps véritable. Mais il découvrit au contraire qu'il était capable de libérer ses émotions dans la peinture avec une intensité peu commune, bien mieux qu'il n'avait su le faire durant sa première vie.

Daniel Vair lui rendait visite chaque jour, jamais plus d'une heure, apparemment satisfait du travail accompli. Ils échangeaient peu de mots. Ernesto avait renoncé à apprendre quoi que ce soit de plus sur cette réalité dans laquelle il était plongé bien malgré lui. Il restait indifférent aux propos de Vair qui, dans les premiers temps, avait tenté d'engager la conversation. Peu lui importait de savoir qu'une rencontre au sommet se préparait entre les Gouverneurs des stations orbitales, réunion à laquelle lui, Daniel Vair, allait être convié pour rendre compte de l'avancement de ses travaux au sol. Ernesto ne voulait rien savoir non plus des avaries dont souffrait l'aqueduc en provenance du pôle Nord, causées par une violente tempête de sable, ni de l'épidémie de grippe américaine qui touchait quelques stations. Lui ne pensait qu'à Barbizon, à ce paradis où l'attendait Anna. C'est rempli du souvenir des chênes de Fontainebleau, disparus une éternité plus tôt, qu'il peignait cet étrange Arbre de Mars, en faisant passer dans cette image toute la tristesse et la nostalgie dont il se sentait rempli.

Après trente jours de travail, l'œuvre parut sur le point d'être achevée. Le trente et unième jour, il déclara qu'il n'avait plus besoin de se rendre auprès du modèle ; au contraire, il voulut que son atelier soit déplacé auprès du *Dernier arbre*.

« Si cette œuvre doit être un diptyque, déclara-t-il à Vair, il faut que les deux panneaux soient harmonieux. Or je ne peux créer cette harmonie qu'en les plaçant côte à côte. »

On fit donc se rencontrer les deux toiles, non pas dans la galerie, où la lumière aurait manqué, mais dans un petit salon situé dans les appartements de Daniel Vair. Ernesto y poursuivit son travail une dizaine de jours, sous l'œil admiratif de son commanditaire qui revenait plusieurs fois par jour et ne cachait rien de son impatience.

Finalement, le second tableau fut achevé. Le diptyque était superbe, tout à fait dans le style du maître. L'Arbre de Mars rayonnait de verdure au milieu du désert martien et, si le feuillage doré du ginkgo semblait sur le point d'être englouti par la stérilité ocre qui l'encerclait, l'arbre émeraude de Daniel Vair paraissait en revanche sur le point de conquérir la planète rouge. Une chose, cependant, était incontournable dans ces deux tableaux, comme une ombre qu'ils partageaient également : la tristesse profonde et les regrets qui habitaient leur créateur, aussi bien face à un premier arbre qu'à un dernier. Daniel Vair ne sembla percevoir cette mélancolie qu'une fois le tableau achevé, comme si le dernier coup de pinceau avait été nécessaire à cette révélation. Avec une moue de regret, il se tourna vers Ernesto :

« Pourquoi tant de tristesse, dans ce second panneau, alors que c'est un symbole d'espoir ?

— Parce que d'espoir, je n'en vois pas la trace. Croyez bien que j'en suis désolé. J'ai vu, j'ai compris. Compris comment on vit ici. J'ai vu dans quoi réside votre espoir. Il réside dans ce qui était ma pire crainte et mon pire cauchemar. Votre société de termites exilés ne me donne rien à espérer. »

Daniel Vair parut déçu, moins par le tableau que par la diatribe de l'artiste. Il ne répondit rien et, s'approchant du diptyque, s'abîma dans la contemplation de l'œuvre dont il avait rêvé.

« J'ai accompli ce que vous attendiez de moi, reprit Ernesto. À vous de respecter votre part du marché. Ramenez-moi dans mon Paradis, si je puis dire. »

Vair se tourna vers lui, ses lèvres pincées traduisant un léger embarras.

« Nous avions un marché, insista Ernesto, ramenez-moi chez moi ! »

L'autre hésita encore : « C'est que… vous n'en êtes jamais tout à fait sorti, et je serais bien en peine de réaliser ce que vous me demandez. Voyez-vous, votre esprit n'a pas été *extrait* de NIRVANA mais plutôt *copié*. À l'heure actuelle, une copie de vous batifole toujours avec insouciance dans une forêt virtuelle aux côtés d'Anna. Vous êtes ici *et* là-haut », conclut-il en pointant un doigt vers le plafond.

Ernesto resta un instant confondu. Vair lui avait-il menti sans vergogne ? Était-il donc condamné à rester ici, dans ce corps débile, dans cette société moribonde, aux mains d'un extravagant malhonnête et tout-puissant ? Il ne reverrait pas Anna, pas plus que les chênes de Fontainebleau ? Peu lui importait qu'un autre lui-même y soit déjà, ça n'était pas tout à fait lui. Lui, il était bel et bien condamné à vivre ici, si l'on pouvait appeler cela vivre. Son esprit fut soudain envahi de colère, une colère désespérée, une fureur incontrôlable contre tant d'absurdité. Et face à lui s'en trouvait l'auteur.

Il se précipita sur Vair les mains tendues, avec une seule idée : l'étrangler sauvagement, le voir agoniser sous ses yeux à l'instant. L'autre eut à peine un mouvement de recul et posa par réflexe la main sur la crosse de son revolver.

Mais une étrange nausée s'empara subitement d'Ernesto et comme ses mains allaient atteindre le cou de Vair, il ressentit une violente décharge dans le bas du dos, puis plus rien ; il avait perdu toute sensation tactile. Paralysé, il s'effondra au sol puis vit Vair se pencher sur lui :

« Bien essayé. Voyez-vous, vous n'êtes après tout qu'un bio-droïde, conçu pour me servir et programmé pour se désactiver si vous tentiez de m'agresser. Vos capacités motrices se réactiveront d'ici quelques heures… si je le désire. » Il dégaina son arme et la pointa vers les yeux d'Ernesto. « Je pourrais vous abattre… Mais je pourrais tout aussi bien décider de vous laisser muré là-dedans. Avez-vous déjà entendu parler du syndrome d'enfermement ? »

Il eut un rire très sec, loin d'être puéril. Puis, rengainant son revolver, il enjamba le corps inerte d'Ernesto et disparut de son champ de vision.

Séquestré dans ce corps figé, Ernesto fut durant plusieurs heures torturé par une affreuse angoisse. Il ne doutait pas que l'autre ait dit vrai ni qu'il soit capable de mettre sa menace à exécution. Le tableau achevé, le peintre-joujou ne servait plus à rien, et que devenait un jouet inutile dans les mains d'un sale gamin trop gâté ?

Finalement, deux domestiques entrèrent et emportèrent le corps d'Ernesto dans ses appartements, où ils le déposèrent sur son lit. Une brusque décharge dans la colonne vertébrale et Ernesto reprit le contrôle une fraction de seconde, avant de sombrer dans un sommeil sans rêve.

◆

Quelques semaines plus tard, enfermé dans le cabinet de Vair où les deux tableaux avaient été exposés, il était sur le point de mettre à exécution un plan mûrement réfléchi, grâce auquel il était sûr de se libérer.

Il lui avait fallu patienter pour en arriver là, endormir la méfiance de Vair et voir relâchée sa surveillance. Il avait dû pour cela le convaincre que vivre dans ce monde ne le dégoûtait plus, qu'il acceptait d'y jouer son rôle.

Rien, pourtant, n'était plus faux. Très vite il avait été saisi d'un intense désespoir. L'idée qu'il n'était, en fin de compte, que la copie d'un humain mort des siècles plus tôt avait commencé à le hanter. Bien plus, il envisageait la possibilité de ne pas être la première de ces copies. Peut-être Vair disposait-il de toute une galerie de toiles intitulées le *Premier arbre*, réalisées par tous les peintres dont il était parvenu à réincarner l'esprit, peut-être même par une foule de répliques d'Ernesto Garcia Perez ? Il avait songé à mettre fin à cette terrible angoisse en attentant à sa vie artificielle, mais la certitude que cela n'aboutirait finalement qu'à la création d'une nouvelle copie l'en avait dissuadé.

La conclusion s'était finalement imposée à lui que son tableau – mais le *Dernier arbre* était-il bien *son* œuvre ? – avait provoqué son malheur. Comme une malédiction, il l'enchaînait à cet enfer et le condamnait à peindre encore.

Si dans les premiers jours, désespéré, il avait refusé de sortir et de parler à quiconque, restant le plus souvent allongé, une semaine plus tard, il changea subitement d'attitude et manifesta le plus vif intérêt pour la vie de la colonie. Vair, d'abord surpris, s'était montré bientôt satisfait d'un tel revirement et heureux de pouvoir parler à quelqu'un. En effet, les colons, qu'ils fussent des domestiques, des mineurs ou des ouvriers spécialisés, plus gris et ternes que jamais, ne semblaient briller ni par leur culture ni par leur conversation. À plusieurs reprises, alors qu'il traversait à pied certains secteurs de la colonie, Ernesto avait tenté d'engager le dialogue. Il n'avait eu pour toute réponse qu'un regard abruti et un sabir primitif. Vair lui avait expliqué que ces gens – comme il le lui avait déjà dit – étaient des « volontaires », c'est-à-dire de pauvres diables qui, en temps normal, auraient été condamnés à vivre dans des cellules de confinement ou les bas-fonds des stations orbitales. Sans entrer dans le détail, il avait déclaré que leur existence sur Mars, pourtant atroce, était de loin préférable. Ernesto en avait conclu que la notion de droits humains avait depuis longtemps disparu.

Il avait ensuite prétendu s'intéresser à l'histoire des derniers siècles écoulés et avait demandé à accéder à la bibliothèque de Vair, que celui-ci lui ouvrit avec plaisir. Parcourant des holo-revues datées du milieu du XXIIIe siècle, Ernesto avait été surpris de découvrir, sous le portrait étrangement familier d'un homme d'environ quatre-vingts ans, la légende suivante : « D. Vair, première fortune mondiale pour la quarante-huitième année consécutive, s'est distingué une fois encore par son talent d'organisateur et d'administrateur. » L'article, paru en février 2251, concernait la création réussie d'un complexe minier dans la mer de la Tranquillité, sur la Lune. Le dénommé « D. Vair » s'était vu décerner une décoration pour ce succès et était qualifié de « génie » et de « bienfaiteur de l'humanité ».

Ernesto avait profité d'un énième voyage vers l'Arbre de Mars – pèlerinage auquel Vair le conviait tous les trois ou quatre jours – pour tenter de percer ce mystère :

« Combien sommes-nous ? »

Vair n'avait pas semblé comprendre le sens de la question :

« Que voulez-vous dire ?

— Combien y a-t-il de *biodroïdes* actuellement en service ?

— Eh bien… Je ne sais pas exactement… Quelques-uns. Il y a des hommes politiques, des ingénieurs, des médecins, des militaires… Quelques artistes. Ceux qui, dans NIRVANA, semblaient posséder les talents nécessaires à la survie de l'espèce humaine.

— Et vous ? Quel talent justifie votre présence ? »

Vair était resté un instant bouche bée.

« Oui, vous, pourquoi vous ont-ils fait "revenir" ? Pourquoi ont-ils copié Daniel Vair, milliardaire du XXIIIᵉ siècle ? Pas pour votre fortune, je pense… »

L'autre avait fini par éclater d'un grand rire :

« Je vois que vous avez mis à profit votre exploration de ma bibliothèque ! Alors vous savez sans doute que, si j'étais riche, c'est que j'étais un virtuose de l'organisation et un meneur d'hommes… J'imagine que cela a suffi à les convaincre de me ramener. »

Copier, avait corrigé mentalement Ernesto avant de reprendre :

« Qu'est-ce qui vous fait tenir, ici ?

— Ça me semble évident : le défi que toute cette aventure représente. Imaginez : recréer la civilisation ! Une société, des valeurs, des paysages… un monde ! Bien plus que ce que Daniel Vair *numéro un* a pu réaliser au cours de son existence. »

C'est à la suite de cette conversation qu'Ernesto avait émis le souhait de se remettre à peindre. Peindre, certes, voilà ce qui aurait fait de lui un être à part entière, original, créateur. Cela ne pouvait malheureusement suffire ; exister dans cet enfer lui était décidément insupportable. Rapidement, en une dizaine de jours, il avait barbouillé quelques toiles sans grande importance ni sensibilité. Puis il avait présenté son projet à Vair : s'il voulait se sentir exister, en tant que créateur, s'il voulait aller au-delà de l'œuvre de l'Ernesto original, il lui fallait repeindre le *Dernier arbre*, le réinterpréter en quelque sorte. Vair, qui lui avait annoncé vouloir exposer ses toiles dans l'une des stations orbitales, avait accueilli l'idée avec enthousiasme. Et ce, d'autant plus que, de confidences en confidences, Ernesto avait appris que son existence était un privilège que les Gouverneurs accordaient à Vair – au même titre que la bibliothèque et l'ensemble de toiles originales qui lui avait été restitué –, mais que cette complaisance dont il bénéficiait était très controversée. Une exposition de peintures originales d'Ernesto Garcia Perez ne pouvait qu'être à son avantage et réduire les critiques au silence. Il lui avait donc ouvert

toutes grandes les portes du cabinet où étaient exposés les deux
tableaux. Et c'est muni de pinceaux, peinture, pipe, tabac, térébenthine et briquet qu'Ernesto avait pu y accéder, accompagné
de Vair qui assista aux premières esquisses avant de laisser le
maître à son travail.

Dès son départ, Ernesto s'enferma, barricada la porte à l'aide
de meubles, décrocha le *Premier* et le *Dernier arbre*, les posa au
sol avant de les arroser généreusement de térébenthine, puis
s'évertua à arracher les dispositifs anti-incendie encastrés dans
le plafond. La tâche était cependant difficile et prit plus de temps
qu'il ne l'espérait. Le dernier de ces dispositifs, particulièrement
récalcitrant, restait à neutraliser lorsque Vair et les quelques domestiques qui l'accompagnaient commencèrent à tambouriner à
la porte. Après quelques minutes, ils l'éventrèrent à l'aide d'une
hache et parvinrent à pénétrer dans la pièce au moment précis
où, ayant achevé de vandaliser le système de sécurité, Ernesto se
précipitait vers les tableaux. Il mit sans hésitation un pied sur
chacun d'eux, saisit son briquet et l'enclencha. Une petite flamme
apparut. L'odeur de térébenthine, lourde et entêtante, avait envahi
toute la pièce. Elle arrêta Vair et son escorte au seuil de la pièce.

« Je vais me libérer », fit calmement Ernesto.

L'incompréhension se lisait sur le visage de Vair. Derrière lui,
l'air abruti des domestiques donnait à la scène un tour presque
comique.

« L'éternité prend fin aussi, Vair, reprit Ernesto.

— Je comprends que vous désiriez disparaître, fit l'autre, les
yeux fixés sur le briquet, mais pourquoi les tableaux ? Pourquoi
ce tableau ? (Il désignait le *Dernier arbre*.) N'emportez que celui
que vous avez peint pour moi. Ce serait renier votre passé et votre
histoire que de détruire l'autre. »

Ernesto soupira.

« C'est pourtant la seule chose que vous ne pourrez pas
copier. »

La petite flamme tomba de sa main, s'étala avec vigueur sur
les toiles, commença à lécher avidement ses pieds.

« Vraiment ? » répliqua Vair.

Tandis que les toiles noircissaient et que la brûlure à ses
jambes devenait insoutenable, Ernesto le vit se saisir du revolver
qui pendait à son côté et comprit que sa tête était visée. Il n'entendit que la détonation.

✦

Ernesto Garcia Perez ouvrit les yeux. L'instant d'avant il arpentait la forêt, Anna à ses côtés...

Il cilla, eut conscience d'être allongé et releva la tête : il était seul sur un lit, au milieu d'une chambre sans fenêtres aux murs tapissés de rose et de vert, sur lesquels on avait accroché des photographies.

À sa gauche : un chevalet. Un cadre noirci. Une toile couverte de suie. À travers le voile bistré, les lignes d'un arbre étrangement familier apparaissaient encore, fossilisées par le feu...

Frédéric VACHER

Né en France en 1977, Frédéric Vacher est installé avec sa femme et son fils au Canada depuis 2008. Il est professeur d'histoire et de géographie. Amateur de science-fiction sous toutes ses formes, il écrit à ses heures perdues. « Le Double d'éternité » est sa première nouvelle à être publiée.

Entre les bras des amants réunis
suivi de contes de la nuit tombée
de Claude Bolduc

Illustration de couverture : Christian QUESNEL

**Entre les bras
des amants réunis**
Collection « Rafales »
198 pages, 20,95 $
ISBN 978-2-89537-185-4

Lorsque Jacques voit se présenter la chance de quitter son logement miteux et d'emménager dans une petite maison, SA maison, grande est sa confiance de laisser derrière lui la grisaille d'une vie ancienne. Déjà, il s'y sent bien. Bientôt s'estompent les mauvais souvenirs, remplacés par un bien-être qu'il ne se souvient pas d'avoir connu.

Si vous aimez votre maison, assurez-vous que celle-ci vous aime tout autant.

Un court roman sous le signe de la hantise et de la schizo-phrénie, suivi d'une sélection d'histoires crépusculaires.

Éditions Vents d'Ouest   www.ventsdouest.ca

L'Art du dragon

par **Sean McMULLEN**

MJP

J'étais là quand le dragon est apparu pour la première fois et qu'il a dévoré la tour Eiffel. Je me trouvais sur le quai Branly, en train de prendre une vidéo de la Tour en me tenant derrière un de ses piliers, quand il y a eu un grand souffle de vent, et le dragon s'est matérialisé dans le viseur. Il a commencé par le sommet, en mordant des sections de la Tour pour les engloutir. Il n'a pas essayé d'attaquer des gens, mais il n'a pas non plus essayé de les épargner. Deux cent dix personnes ont été écrasées sous ses pattes et sa queue, et dix-sept tuées par les morceaux de la Tour qui dégringolaient. Il y en a quatre-vingt-dix autres qu'on n'a jamais retrouvées et qu'on a présumées dévorées.

Si je suis resté longtemps, c'était par simple paralysie. Ma caméra, montée sur un trépied, continuait à enregistrer tandis que j'étais là, tête levée, bouche béante, incrédule, et que les débris s'écrasaient autour de moi. De temps à autre, le dragon éternuait brièvement des nuages de poussière, qui se posaient sur moi comme une fine averse noire. Je ne me rappelle pas avoir décidé de m'enfuir, mais, m'étant mis en mouvement, je me rappelle avoir pensé que c'était incroyablement stupide. Le dragon allait sûrement me remarquer et m'écraser comme un insecte. Je me suis arrêté, finalement, quand l'épuisement eut transformé mes jambes en gelée, et je suis tombé de tout mon long.

Me forcer à jeter un regard derrière moi n'a pas été facile. Si je voyais la tour Eiffel intacte, je saurais que j'étais devenu fou. Tout autour de moi, je pouvais entendre des cris, cependant, et le mot « dragon » y était abondamment utilisé. Ce qui m'a rendu plus aisé de regarder par-dessus mon épaule. La chose mangeait, avec une méthodique délicatesse, et elle avait à présent consommé la moitié de la Tour. J'ai regardé mes mains, j'ai frotté la poussière noire entre mes doigts. C'était granuleux, comme un abrasif très fin. Le dragon grignotait toujours la Tour quand les hélicoptères ont commencé à tourner autour. L'un d'eux a tiré une paire de missiles qui ont explosé près de la tête de la créature. Celle-ci a ignoré l'attaque. Il y a eu encore des missiles et des explosions, mais sans aucun effet.

Je me suis tassé sur moi-même lorsque le dragon s'est redressé pour regarder autour de lui, mais les humains ne semblaient nullement l'intéresser. Il s'est retourné, et l'extrémité de sa queue a balayé les airs au-dessus de moi, alors que j'étais accroupi à presque deux kilomètres de l'endroit où s'était dressée la Tour. Le dragon a traversé la rivière en suivant la rue, plus ou moins, puis il s'est mis à bouffer le Louvre. J'ai essayé de me lever, mais je me sentais bizarrement faible. Quelqu'un m'a attrapé sous les bras et a commencé à me tirer vers l'arrière.

« Monsieur, vous devez aller à l'hôpital ! » me disait-on en français.

L'hôpital ? C'est seulement alors que je me suis rendu compte que quelque chose m'avait entaillé le bras gauche et que je perdais beaucoup de sang. Je n'avais pas du tout remarqué que cela faisait mal.

À la clinique externe de l'hôpital, en regardant la télé, j'ai appris que le dragon était allé visiter Notre-Dame, les jardins du Luxembourg et quelques autres endroits splendides de Paris, avant de s'envoler. Dans les entrevues, personne ne remarquait que c'était de l'art qui se faisait dévorer. J'ai vu au moins une minute d'images du dragon captées par ma propre caméra. L'image se détériorait à mesure que la poussière se déposait sur l'objectif ; puis l'émission passait à une entrevue avec l'un des pilotes d'hélicoptères. Il était perturbé, presque offensé, que le dragon ait ignoré ses tentatives d'assaut. J'ai demandé où était ma caméra, en soulignant que la télévision diffusait une vidéo que j'avais tournée. Une infirmière m'a promis de poser la question. J'ai essayé d'appeler ma famille à Londres pour dire que j'étais sain et sauf, mais toutes les lignes étaient occupées.

Je suis sorti de là de ma propre autorité après une autre demi-heure. On amenait à présent des gens bien plus grièvement blessés que moi et je doutais de recevoir un quelconque traitement avant de nombreuses heures. On avait recousu la plaie de mon bras, mais on avait aussi vaguement parlé de me faire une transfusion. Comme je suis hypocondriaque, cela m'avait pratiquement fait paniquer. J'ai dû me reposer après chaque pâté d'immeubles, mais j'ai fini par atteindre la gare du Nord. Même si je m'attendais au pire, les trains fonctionnaient encore. Je me suis installé dans mon siège et j'ai regardé Paris glisser derrière la fenêtre, en ignorant les autres passagers qui échangeaient des histoires sur le dragon. À part le grand nombre d'hélicoptères de l'armée dans les airs, tout semblait normal. Au-delà de la métropole, la campagne française était intacte.

Du côté britannique du tunnel sous la Manche, tout semblait aussi normal, mais cela n'a pas duré longtemps. Le train s'est arrêté à la limite de la ceinture londonienne, et l'on a annoncé que la station St-Pancras avait été dévorée. Personne ne semblait savoir quoi faire avec les passagers de mon train Eurostar, dont c'était le terminus. Après une douzaine de tentatives pour appeler mon frère, j'ai fini par l'avoir.

« Scott, tu es vivant ! s'est-il écrié dans le récepteur.

— Vivant, oui, mais je suppose que je n'ai pas à te parler de Paris ?

— Non, bien sûr. Le Grand Héros, toi, de prendre ces vidéos juste sous le nez du dragon pendant qu'il bouffait la tour Eiffel. C'est passé à la télé. Ils m'ont interrogé, *moi*. »

On devait avoir trouvé mon nom et mon adresse de courriel gravés sur le boîtier de la caméra.

« Charles, peux-tu prendre ton scooter et venir me chercher ?
— Tu n'es pas à Paris ?
— Non, je suis de nouveau à Londres, quelque part près de l'Orbital. Il n'y a pas de trains, les bus et les taxis sont bourrés à bloc, et même si je pouvais monter à bord de n'importe quoi pourvu d'un moteur, les rues sont embouteillées.
— Pourquoi ne pas me dire où tu es ? Ils t'enverront un hélicoptère.
— Un hélicoptère ? Et c'est qui, *ils* ?
— Les types de la Défense, ils sont là en ce moment, à la maison.
— Qu'est-ce qu'ils me veulent ?
— Tu as pris les meilleures images du dragon en train de bouffer la Tour. Ça fait de toi un expert en la matière. »

◆

On m'a transporté par voie aérienne jusqu'à une petite base militaire sécurisée, au sud de Londres, mais on ne m'a rien dit dans l'hélicoptère. Une fois à terre, on m'a emmené directement dans une salle d'interrogatoire. Là, une équipe d'interrogateurs m'a questionné très en détail, en revenant sans cesse aux mêmes questions, énoncées chaque fois de façon un peu différente.

« Alors vous êtes arrivé à Paris hier matin ?
— Oui, par le train.
— Pourquoi y alliez-vous ?
— J'ai obtenu mon doctorat en histoire de l'art la semaine dernière, j'allais passer une fin de semaine à Paris. Pour changer, je voulais voir de l'art pour le plaisir, pas pour mes études.
— Vous avez un PhD en histoire de l'art, et pourtant vous conduisez un camion de livraison pour vivre ?
— Eh bien, essayez d'obtenir un autre boulot avec un PhD en histoire de l'art.
— Pourquoi preniez-vous des vidéos de la tour Eiffel au moment même où le dragon est apparu ? »
Là, je suis venu à bout de ma patience.
« Eh bien, vous savez comment c'est. Je n'ai pas tellement l'occasion de passer du bon temps avec le dragon, alors je me suis dit que je filmerais ces petits moments de plaisirs domestiques, comme les repas.

— Monsieur Carr…

— Docteur Carr, s'il vous plaît.

— Votre attitude désinvolte ne va pas servir à grand-chose.

— Pas plus que vos bon sang de questions agressives! Êtes-vous en train de dire que j'ai appelé un dragon doré de trois kilomètres de long pourvu d'un sourire idiot, de Dragonland ou de l'endroit, quel qu'il soit, d'où proviennent les dragons?

— Euh… eh bien, l'avez-vous appelé? »

On a fini par me permettre de faire une pause, et on m'a introduit dans la pièce où m'attendait mon frère. On nous a laissés seuls, et je me suis laissé tomber dans un fauteuil en fermant les yeux.

« Charles, qu'est-ce qui s'est passé à Londres, à part St-Pancras?

— Tu plaisantes! Tu ne le sais pas?

— On ne m'a rien dit.

— Eh bien, il y a un tas de trucs qui ont disparu. La station, les grands musées, le pont de Londres, la statue de Boadicée… Oh, il a ignoré le palais de Buckingham, comment ai-je pu oublier? La Bibliothèque nationale a été pas mal bousillée aussi, mais on pense que c'est par accident. St-Pancras était tellement proche, tu vois.

— Où est le dragon, à présent?

— La dernière fois que je l'ai vu à la télé, il se trouvait à Amsterdam; c'était juste avant que les barbouzes arrivent et demandent où tu étais. »

On nous surveillait, c'était certain. Notre conversation était sans aucun doute une grande déception pour nos auditeurs.

« Alors, qu'est-ce qui se passe, maintenant? a demandé Charles.

— Puisque le méchant flic m'a déjà causé, c'est le tour du gentil, je suppose.

— Qu'est-ce que tu vas dire?

— Ce que le méchant flic ne m'a pas laissé l'occasion de dire. J'espère qu'il se fera botter le cul et rétrograder.

— Tu peux me le dire?

— Eh bien, Charles, c'est drôle que tu me demandes ça. Le dragon bouffe de l'art.

— De l'art? Tu es dingue. Il fait juste un numéro de Godzilla dans les grandes villes. S'il n'était pas bien réel, je dirais que c'était juste un film de deuxième catégorie. Tu as vu ce sourire idiot ? Ça gâche tout l'effet.

— Il n'attaque pas seulement les œuvres d'art, il choisit celles qui ont le plus de valeur symbolique et la plus grande visibilité. Tu vas voir. Dans chaque ville qu'il visitera, seuls disparaîtront les palais, monuments et musées célèbres, et les cathédrales.

— Mais pourquoi ?

— Si je le savais, Charles, les barbouzes qui ont installé des micros dans cette pièce me traiteraient bien plus poliment. »

Mais justement, ce traitement s'est amélioré, et je me suis vite rendu compte qu'on m'avait déclaré personnage important. Le dragon dévorait de l'art, j'étais une sorte d'autorité en matière d'art, et je m'étais trouvé plus proche du dragon que n'importe quelle autorité sur l'art encore vivante. On m'a emmené dans la salle des opérations, où l'on m'a briefé très en détail tandis que des images du dragon en train de bouffer des morceaux de Berlin se déployaient sur de larges écrans. Dans les jours suivants, j'ai passé là l'essentiel de mon temps, informé de la position du dragon, à regarder en direct ce qu'il faisait. La séquence des événements était toujours la même : il arrivait dans une ville, se traçait à coups de mâchoires un chemin méthodique à travers les œuvres d'art qui se trouvaient lui plaire, puis il repartait à tire-d'aile.

Saint-Pétersbourg a horriblement souffert, et des larmes me roulaient sur les joues tandis que je regardais le dragon dévorer l'église du Sauveur. De là, il est parti pour Moscou, et il était à mi-chemin de la ville, une dizaine de kilomètres au-dessus de la campagne, quand il a été frappé par un missile d'une mégatonne. L'explosion n'a eu absolument aucun effet. À ce moment-là, j'avais été coopté dans un groupe d'experts appelé Comité consultatif sur le dragon, et dans l'heure suivante, on nous a montré une vidéo de l'attaque captée depuis un avion à réaction de surveillance qui suivait le dragon à une distance sécuritaire. Personne n'a essayé de l'arrêter, après ça.

Des semaines ont passé, et j'ai été stupéfait de voir comme l'humanité s'adaptait rapidement à l'idée d'un dragon de trois kilomètres qui faisait le tour du monde en dévorant des œuvres d'art. Tous les gens pourvus d'un peu de bon sens évitaient les musées grands et petits, et le tourisme en général a baissé aussi, mais les compagnies d'aviation travaillaient toujours, avec des vols réduits. Dans quelques villes, il y a eu des autodafés massifs de tableaux, tandis que le prix des maisons d'architectes connus dégringolait. Les académies d'arts martiaux étaient rebaptisées académies de talents martiaux, les écoles de beaux-arts démolissaient leurs enseignes, et les universités agrandissaient leurs autres facultés en envahissant les édifices vacants des départements d'arts. On enfonçait des marteaux-piqueurs dans les mosaïques, on appliquait de la peinture sur les fresques, et l'on abattait les sculptures publiques, ou bien on les chargeait sur des péniches de dragage pour les jeter au large.

Pendant tout ce temps, le Comité consultatif sur le dragon étudiait le dragon, mais les quelques faits concrets que nous avions rassemblés n'avaient pas grand sens. Toute tentative de communication, de négociation ou de combat avait été ignorée. Il faisait trois kilomètres de long, avec une envergure de quatre kilomètres. La mesure de ses empreintes de pattes évaluait son poids à seulement un million de tonnes. Quand la chose se mouvait, elle émettait un son métallique et résonant. On en concluait qu'elle était métallique et creuse. La nature du métal demeurait un mystère. Cela ressemblait à de l'or. Si c'était métallique et creux, qu'y avait-il à l'intérieur? De l'air, d'après les modèles informatiques. C'était une énorme coque sur pas grand-chose d'autre. Le dragon ne digérait pas les débris de ce qu'il avait dévoré. Il les pulvérisait puis exhalait la poussière. On l'avait déterminé à la façon dont son poids demeurait constant.

Ma contribution suivante a consisté à comparer notre immense visiteur aux vaisseaux-dragons des Vikings. Pendant les siècles que les historiens politiquement corrects n'appellent plus l'âge des ténèbres, ces vaisseaux ont transporté les terribles guerriers du Nord jusqu'en Grande-Bretagne. Ils pillaient les trésors, capturaient des esclaves, brûlaient ce qui ne pouvait être emporté puis retournaient chez eux.

« Vous pensez donc que c'est un vaisseau? a demandé le secrétaire du Comité consultatif sur le dragon. Un vaisseau spatial, peut-être, en forme de dragon?

— C'est possible.

— Pas un robot? Pas un véritable dragon en armure métallique?

— Vous vouliez des théories, je vous propose seulement une autre théorie.

— Un dragon rempli d'*aliens* vikings, peut-être ? a demandé une sociologue nommée Glenda.

— Je ne saurais dire. Ce peut simplement être un dragon qui déteste l'art.

— Cela signifie-t-il qu'il s'en ira une fois que toutes les œuvres d'art auront été dévorées ? » a demandé un major des Services spéciaux de l'Aéronavale qui portait toujours des verres fumés et n'était connu que par son numéro matricule.

« Je l'ignore. Certains Vikings repartaient, mais d'autres se sont installés.

— Un dragon ? Sur Terre ? Pour toujours ? s'est-il étranglé.

— Pas le vaisseau, mais l'équipage, a suggéré le secrétaire.

— Où est-il donc ? a demandé le major. Le dragon est vide.

— Ce sont peut-être des créatures composées de données immatérielles, qui peuvent avoir une expérience esthétique totale, pas seulement la forme la couleur, la texture ou je ne sais quoi d'autre, ai-je risqué.

— Alors, ils ne détestent pas l'art, ils lui infligent seulement quelques dommages quand ils l'apprécient ? a demandé le major.

— Peut-être.

— Alors, où sont-ils ? a demandé Glenda.

— Je ne sais pas.

— Eh bien, comment savez-vous qu'ils existent ?

— Comment savez-vous que la source d'énergie du dragon existe ?

— Il vole et il mange, a dit le secrétaire. Ça prend beaucoup d'énergie.

— Eh bien, *quelque chose* choisit ce qu'il mange, que ce soit un équipage ou… ou une cervelle de dragon », a conclu le major.

En vérité, des jugements esthétiques étaient portés par le dragon. Celui-ci avait survolé Los Angeles, jeté un coup d'œil et apparemment décidé qu'il n'y avait là rien qui méritait d'être dévoré, et il avait poursuivi son chemin sans s'arrêter. Une spirale en zigzag l'a progressivement mené vers le sud, après qu'il eut fait plusieurs fois le tour de la Terre. Finalement, il a atterri sur une plage du sud-est de l'Australie, apparemment pour dormir. Une demi-heure à peine après l'arrivée de cette nouvelle, j'avais été mis dans un avion à réaction, direction Melbourne, avec le reste du Comité consultatif sur le dragon – qui avait été renommé Comité consultatif britannique sur le dragon.

✦

Le dragon était étalé sur une plage bordée par des falaises abruptes, près du cap Otway. C'était un de ces endroits qui devaient avoir été décrits comme sauvages et désolés avant qu'il ne devienne à la mode de leur coller l'étiquette « magnifiquement intacts ». Les bateaux qui emmenaient d'habitude les touristes voir les baleines offraient des tours du dragon, mais le Comité consultatif britannique a été transporté là par hélicoptère. Plusieurs douzaines d'autres groupes d'experts nous y ont rejoints. Aucun de ceux qui m'accompagnaient n'avait vu le dragon en direct et ils étaient nerveux en l'approchant – ce qui était compréhensible. Nous savions qu'il ne tuait pas de manière délibérée, mais c'était un maigre réconfort pour qui se faisait piétiner. Il avait tué quinze cents personnes et les deux tiers étaient mortes à Paris et à Londres, le premier jour. Après cela, on avait appris à se tenir à l'écart de tout ce qui ressemblait à de l'art lorsqu'on savait que le dragon approchait.

Je me tenais sur la plage auprès d'un ingénieur militaire australien, et j'observais à la jumelle deux hommes portant cagoules et combinaisons de camouflage qui pénétraient dans une des narines du dragon depuis une plateforme posée au sommet d'une grue mobile. Ils traînaient derrière eux des câbles de communication et ils étaient munis de fusils d'assaut.

« L'équipe Exploration du dragon, a dit l'ingénieur. Ils sont branchés pour le son et l'image.

— Qu'espèrent-ils ainsi ?

— Explorer. Nous savons que les narines ne sont pas utilisées pour la respiration. Nos instruments indiquent qu'il n'y a aucune circulation d'air.

— Sauf quand il éternue de l'art pulvérisé.

— Ça pourrait être un robot ; c'est ma théorie. Dans ce cas, nous pourrions trouver un endroit plus vulnérable.

— Plus vulnérable ? Dans un machin qui a survécu à une bombe à hydrogène en direct ?

— Vous ne comprenez pas. Si ce dragon a été construit par des ingénieurs, il doit y avoir une écoutille quelque part, pour l'entretien et les réparations. »

J'ai remarqué alors plusieurs équipes de gens qui pointaient de l'équipement vers le dragon et, grâce à mes jumelles, je pouvais voir une femme pressant son front et le bout de ses doigts contre l'immense courbe métallique qui était la mâchoire du dragon.

« Qui est cette femme, près de la gueule ? ai-je demandé.

— Une médium. Elle affirme qu'elle sert de conduit aux aliens de l'équipage.

— Et alors, qu'est-ce qu'ils disent ?

— Elle ne comprend pas leur langue.

— Vos instruments révèlent quelque chose de plus constructif ?

— Je crains bien que non. Avec n'importe quel instrument, c'est comme enregistrer le son de l'espace profond. Je pense que nous... De la fumée ! »

Je suis aussitôt revenu aux narines, d'où sortait un nuage de fumée noire. En jurant à mi-voix, l'ingénieur a activé son téléphone.

« Viseur 6, ici le major Dekker. C'est quoi, cette fumée ? »

J'ai de nouveau examiné le dragon, où quelqu'un, au sommet de la grue, était en train de tirer sur les câbles de communication. Les hommes n'y étaient plus attachés.

« Eh bien, que dit votre spectrographie ? » criait l'ingénieur dans son téléphone.

J'ai attendu pendant qu'il écoutait. Il a enfin raccroché.

« L'équipe de spectro a effectué une analyse préliminaire de ce nuage de fumée, a-t-il expliqué, plus pour lui-même qu'à mon adresse. Essentiellement de la vapeur mélangée à du carbone, avec un peu de fer et de plomb, et des traces d'autres éléments comme du chlore, du calcium et du silicium

— L'estimation de la masse correspondait-elle à deux humains, avec leurs armes et leur matériel de communication ?

— L'équipe de spectro ne l'a pas dit. Il y avait environ dix mètres de câbles déroulés quand... quand l'équipe a disparu. »

Je me suis retenu juste au moment où j'ouvrais la bouche pour demander si l'un ou l'autre des deux hommes était puceau. Une question stupide, et pourtant, était-elle plus idiote que l'idée d'un dragon métallique de trois kilomètres de long qui bouffait de l'art ? Ces deux hommes étaient-ils les premiers sacrifices humains acceptés par le dragon ?

« Je crois que tout ce qui entre dans le dragon sera pulvérisé, ai-je dit en pensant tout haut.

— Que dites-vous ?

— Nous sommes comme les membres d'une tribu de l'âge de pierre qui essaient de pénétrer dans un cuirassé en grimpant dans les cheminées. Ce qu'il y a à l'intérieur nous est incompréhensible. Je crois que si vous essayez de percer le ventre, vous découvrirez que la pointe a été coupée net et a disparu.

— C'est drôle que vous disiez ça.

— Pourquoi ?

— Nous avons bel et bien foré, ce matin. On a réussi, d'une certaine manière.

— Et donc pas entièrement ?

— Non. La pointe est bien entrée, mais quand on l'a retirée, il n'y avait pas de trou. La plus grande partie de la mèche manquait aussi.

— Avez-vous fait analyser les copeaux ?

— Pas de copeaux. Comme je disais, la mèche est entrée tout droit. »

Sur ce, il s'est éloigné pour rejoindre quelques personnes rassemblées autour d'un camion hérissé d'équipement que je ne pouvais identifier. Je me suis mis en marche vers le dragon. Au départ, j'ai pensé que l'un des nombreux gardes aux casques bourrés de matériel de communication et munis de fusils d'assaut au mufle court allait m'arrêter, mais on m'a laissé avancer. Les distances peuvent être trompeuses lorsque quelque chose d'aussi gros que ce dragon est concerné, mais j'ai bien fait près d'un kilomètre.

En tant qu'expert plus ou moins symbolique du monde des arts, je possédais le titre plutôt contradictoire de généraliste spécialisé. J'étais une de ces personnes qui devaient élaborer des théories que les vrais spécialistes vérifieraient et, à ce stade, j'étais extrêmement à court de théories. La seule chose que je pouvais faire, c'était toucher ce dragon. Pourquoi les humains doivent-ils toucher ? Devant moi se trouvait la créature la plus dangereuse à jamais voler dans le ciel ou à arpenter la terre, et pourtant je voulais la toucher.

Les derniers pas furent les plus difficiles. À environ deux cents mètres de moi, la médium était toujours bien vivante, tête et mains toujours pressées contre le dragon. Et moi, comment m'interpréterait-il ? Il dévorait l'art et, même sans être un artiste, j'étais un historien de l'art, avec les diplômes pour le prouver. Serais-je le premier historien de l'art à le toucher ? Pouvait-il lire dans les esprits ?

Tout en essayant de garder la tête vide, afin que mon moi plus raisonnable ne soit pas conscient de ce que je faisais, je me suis approché des immenses mandibules, j'ai tendu une main et j'ai passé les doigts sur leur surface. C'était comme toucher la coque d'un gros navire. Pas du tout une impression rationnelle, plutôt comme si j'avais décidé que ce serait cela que j'éprouverais, et que j'avais eu raison. J'ai cogné du poing dessus, mais il n'y a eu qu'une infime suggestion d'écho. J'ai reculé en levant les yeux et j'ai essayé… d'apprécier le monstre, comme s'il s'était agi d'une œuvre d'art. Je n'y suis pas parvenu. En m'éloignant du dragon, j'ai été rejoint par un groupe de plusieurs dizaines de personnes. En équipement d'assaut, en costards, en blouses blanches, et même en uniformes de parade. La plupart des membres du Comité consultatif britannique se trouvaient là.

« Comment c'était ? a demandé le major de l'Aéronavale.

— Un énorme bateau : dur, frais, absolument rigide. »

Puisque je n'avais pas été réduit à un nuage de mes éléments constitutifs, la plupart des autres se sont avancés à leur tour pour toucher le dragon. Je m'étais lié d'amitié avec Glenda, la sociologue. Elle avait une attitude dure et pragmatique et une tendance à se tenir à l'écart des autres, comme si elle avait été déterminée à ne pas suivre le troupeau. Nous étions donc tous les deux en arrière, à regarder les autres se faire prendre en photo devant la mâchoire du dragon.

« Qu'est-ce qu'il y a de si spécial dans l'art ? » a-t-elle demandé, avec l'intonation de quelqu'un qui en a assez de poser des questions sans réponses.

« Il peut émouvoir par sa beauté ou par la façon dont il nous dérange. Il peut rendre notre environnement plus agréable, il peut même être plaisant à créer. Quelquefois, il nous inspire, mais souvent il nous manipule.

— Ça ne me dit rien. Pourquoi est-ce spécial ?

— Eh bien… seuls les humains le produisent.

— Il y a des oiseaux qui décorent leur nid avec des bidules brillants et colorés comme du verre brisé et des capsules de bouteille en plastique. »

Je l'ignorais. J'y ai réfléchi un moment.

« Mais est-ce de l'art ou de la décoration ? Certains primates utilisent de grandes feuilles pour se protéger de la pluie, est-ce pour autant un vêtement ? Des oiseaux se servent de brindilles pour tirer des insectes de leur trou, les singes et les loutres de mer prennent des pierres pour ouvrir des choses qui contiennent de la nourriture, mais on peut difficilement dire qu'ils fabriquent des outils. Les singes lancent des cailloux : cela veut-il dire qu'ils ont inventé les armes de jet ?

— Eh bien, c'est vous l'expert en histoire de l'art. Quand donc les humains ont-ils inventé l'art ?

— Les colliers remontent à une centaine de milliers d'années, mais c'étaient simplement des ornements. Les peintures et les sculptures rupestres n'existent que depuis la moitié de cette durée.

— Alors, c'est ça, l'art véritable ?

— Oui. Je dirais que l'art a évolué ou a été inventé il y a environ quarante mille ans.

— Alors c'est relativement nouveau… Non, attendez ! Les chimpanzés, les oiseaux et les éléphants peuvent apprendre à peindre.

— On leur *apprend* à peindre, ils ne le font pas spontanément.

— Les Néandertaliens avaient une forme d'art. Pourtant, ils n'étaient pas tout à fait humains.

— Les Néandertaliens n'ont pas produit d'œuvres d'art ni de décoration avant de copier ce que nous, les humains, faisions. L'art n'existait pas avant que nous l'inventions.

— Bon, alors, ça nous mène où ?

— À un autre indice que nous ne comprenons pas. Est-ce que le dragon a démoli une maison de haute couture ?

— Non.

— Alors il établit une distinction entre l'art et la décoration.

— On le savait déjà.

— Certes, mais, maintenant, c'est exprimé de manière différente. »

À cet instant, j'ai remarqué que des gens descendaient des falaises sur des échelles de corde. Tous étaient nus, mais quelques-uns avaient des sacs à dos. Après s'être assemblés en rangées bien nettes, ils se sont mis à marcher vers le dragon. Les gardes ne les ont pas interpellés.

« Est-ce que ces gardes arrêtent *qui que ce soit* sous *quelque prétexte que ce soit* ? ai-je demandé.

— Ils sont là juste pour donner l'impression que les autorités ont la situation en main, a dit Glanda.

— Comme c'est australien. Et qui sont donc ces nudistes ?

— Ils appartiennent à l'un des cultes du Dragon. Leur nudité symbolise le rejet de l'art en général, et des vêtements d'inspiration décorative, en particulier. »

Les Dragonistes se sont arrêtés à proximité de l'endroit où nous nous tenions, et leur chef a commencé une tirade contre l'art sous toutes ses formes, en s'aidant d'un porte-voix. Puis il a fait prêter par ses disciples un serment par lequel ils déclaraient ne plus devoir porter que des couvertures pour le reste de leur vie, et détruire les œuvres d'art, où qu'elles se trouvent. Avec Glanda, j'ai hâtivement reculé pendant qu'il exhortait le dragon à les écraser si leurs actions lui déplaisaient. Le dragon n'a pas bougé, ce qui a déclenché des scènes de soulagement joyeux. Ceux qui avaient des sacs à dos se sont mis à distribuer des couvertures.

« Je m'attendais presque à ce qu'ils sacrifient une vierge », ai-je remarqué tandis que les Dragonistes se prosternaient en entonnant un hymne d'adoration à l'adresse de la gigantesque tête.

« Des adultes humains vierges ne sont pas très communs par les temps qui courent.

— Oh, je ne sais pas. Il s'en trouve quelquefois.

— Montrez-m'en un.

— Pas en public. »

C'était assez innocent comme badinage, et pourtant, j'apprendrais plus tard que, en matière de religion, il n'existe pas de badinage innocent.

◆

Nous sommes restés quelques jours sous des tentes, pendant que d'autres tests étaient menés sur le dragon, mais on n'a rien appris de significatif. De mon côté, je trouvais qu'il y avait quelque chose de familier dans cette monstrueuse créature. Tous les matins, je me tenais devant elle, les yeux levés vers son immensité luisante et dorée, et je me livrais à l'exercice dans lequel j'excellais : je cherchais des impressions. Ce dragon me rappelait les engins *steampunk* de la fiction et des films de la fin du XXᵉ siècle : des machines victoriennes compliquées, faites d'acier, mues par la vapeur. Des concepts enchanteurs, impossibles en pratique et pourtant étrangement séduisants – comme l'essentiel des œuvres d'art.

Le matin du quatrième jour, j'étais ainsi en train de contempler le dragon lorsque Glenda m'a rejoint.

« Le Comité s'en va à Melbourne, a-t-elle annoncé.

— Mais le dragon est ici, ai-je dit sans me retourner.

— Nous étudions Mars sans être à bord des sondes martiennes.

— Certes, mais nous étudierions Mars bien mieux si nous y étions.

— Si vous désirez rester, on peut faire une exception.

— À bien y penser, un appartement serait nettement mieux qu'une tente.

— Vous venez ici chaque matin et vous regardez fixement la tête du dragon. Essayez-vous d'établir un contact télépathique ?

— Non, je le traite comme un tableau ou une sculpture. Interpréter l'art est un art, et je pratique donc l'art du dragon. Rien d'autre n'a donné de résultat.

— Vous ne voulez sûrement pas dire que c'est une œuvre d'art ? s'est-elle esclaffée.

— Il pourrait avoir une valeur esthétique, même s'il est censé être autre chose. Ma thèse de doctorat portait sur les machines de guerre dans l'art : les galions espagnols de la Grande Armada, avec toutes leurs décorations, les armures si élaborées des chevaliers de la Renaissance, les Spitfires de la Seconde Guerre mondiale. Tous ces objets ont une certaine valeur esthétique, et pourtant, ils étaient conçus pour le combat et la destruction.

— Ça ne peut pas avoir de rapport. Le dragon a détruit beaucoup d'œuvres d'art, mais seulement un échantillon à haute visibilité. Il apprend aux humains à détruire l'art. »

C'était une opinion commune chez les Dragonistes.

« Mais pourquoi l'art ? A-t-il des maîtres *aliens* dont le plan est de nous envahir et qui n'aiment pas l'art ?

— Pas des *aliens*, a dit Glenda. Quelque chose de supérieur. »

Nous sommes restés silencieux un moment, à contempler chacun le dragon à notre façon.

« Personne ne l'a vu approcher depuis l'espace », ai-je remarqué, en me demandant si c'était significatif. « Des humains pourraient-ils l'avoir imaginé ?

— Des humains ? s'est exclamée Glenda. Des humains ne bâtiraient jamais rien de tel !

— Pas avec la technologie humaine telle que nous la connaissons, c'est vrai. Pourtant ce sourire idiot semble une touche bizarrement humaine.

— Pensez-vous qu'il vient du futur ?

— Je ne sais que penser, mais je ne cesse de me demander : *pourquoi un dragon* ? La plupart des sociétés humaines possèdent des légendes à cet effet. Les dragons sont gigantesques. Ils inspirent une terreur respectueuse.

— Mais les dragons n'ont jamais été réels… jusqu'à maintenant.

— Oh, ils étaient réels dans nos histoires et dans notre imagination. Et puis, pensez aux dinosaures. Nous ne les connaissons que par leurs os, or ils exercent la même séduction parce qu'ils étaient énormes. Un humain ne peut que se prosterner devant une créature de cette taille.

— Un humain muni d'un fusil de chasse pourrait abattre le plus gros des dinosaures.

— Certes, mais voilà maintenant un dragon, et un dragon si gros et si puissant qu'aucune de nos armes ne peut le tuer. Nous ne pouvons raisonner avec, et il n'est prêt à aucune négociation d'aucune sorte. Et de nouveau, nous nous prosternons, tout comme nous le faisions dans… dans les contes de fées. »

Pendant un instant, une infime impression a flotté en moi, pour s'évanouir aussitôt. J'avais été proche d'une excellente intuition concernant le dragon. Il avait été conçu pour provoquer une réaction chez les humains. *Reculons d'un million d'années : les lions, les crocodiles et les ours des cavernes étaient les dragons des proto-humains sans défense. À mesure que nous devenions davantage maîtres de notre situation, ce qu'il fallait pour nous effrayer est simplement devenu bien plus gros. Ce dragon est sûrement un parallèle, une leçon, une allégorie…*

La face du dragon me dominait de toute sa masse, toujours bien trop vaste pour que mon esprit l'appréhende.

« Les humains sont doués pour gagner, mais si l'idée était de ne pas gagner ? a demandé Glenda.

— Pas d'autre choix, hein ? Si nous nous rendons, le dragon gagne. Si le dragon se rend, nous gagnons.

— Peut-être sommes-nous censés l'adorer. Les humains ont toujours adoré.

— Je ne crois pas qu'il désire de l'adoration.

— Vous ne pouvez en être sûr.

— Ce dragon détruit l'art, qui est universellement considéré comme pourvu de valeur. Un envahisseur détruirait nos armes, pour démontrer que la résistance est inutile. Mais cette chose détruit plutôt les meilleures et les plus fameuses de nos œuvres d'art. Elle doit essayer de nous dire quelque chose à propos de l'art.

— Ce pourrait être un ange, un messager de Dieu.

— Êtes-vous sérieuse ?

— Pourquoi pas ? Ce dragon n'appartient pas à la réalité telle que nous la connaissons. Comment sinon pourrait-il survivre à une bombe à hydrogène ?

— Un chasseur néandertalien pourrait dire la même chose après avoir brisé sa lance sur un panzer, mais ça ne fait pas du tank un ange ou un dieu.

— Écoutez, simplement comme une expérience mentale, pensez au dragon comme à un dieu. Un dieu dirait-il simplement "eh, les gars, j'ai une annonce importante" ? Les dieux transcendent ce genre de chose, et le dragon transcende les mots. Je crois que nous ne pouvons pas plus comprendre son plan que les termites qui bouffent le plancher ne pourraient comprendre une requête d'évacuer accompagnée d'une menace d'appeler l'exterminateur.

— Mais pourquoi l'art ? L'art ne fait aucun mal, il est agréable, il a de la valeur, il est bon, il nous aide à être ce que nous sommes.

— Eh bien, de toute évidence, le dragon n'aime pas ce que nous sommes », a déclaré Glenda avec cette conviction totale qui me fait toujours frissonner.

✦

Le Comité consultatif britannique sur le dragon a déménagé à Melbourne cet après-midi-là, mais nous avons continué de ne pas avoir grand-chose à faire, sauf discuter ce que nous ne comprenions pas. Au lieu d'observer le dragon sur la plage, j'ai regardé beaucoup d'émissions de télévision au cours des semaines suivantes. Dans le monde entier, des gens quittaient de riches demeures bien décorées pour déménager dans les maisons les plus laides possibles.

On a lancé nombre de projets visant à enregistrer des images des œuvres d'art avant que le dragon détruise les originaux, mais les cultes dragonistes détruisaient eux-mêmes la plupart des œuvres avant qu'on puisse les numériser. D'autres Dragonistes fabriquaient des virus informatiques pour corrompre les banques de données déjà mises sur pied. Les tentatives pour dissimuler des œuvres d'art étaient généralement des échecs, car les Dragonistes offraient de grosses récompenses pour la dénonciation des lieux où se trouvaient les trésors cachés.

En tant que membre du Comité consultatif, je me suis vu attribuer un appartement régulièrement entretenu, dans un édifice patrouillé par des gardes de sécurité. J'avais une connexion internet à haut débit, la télé par satellite et des liens de communication de haute qualité avec des caméras qui transmettaient des images en temps réel du dragon, et des téraoctets d'images de ses déchaînements antérieurs. Tous les quelques jours, nous nous rencontrions à l'Université de Melbourne. Nous ne faisions presque rien d'autre que couvrir toujours le même terrain, mais nous parvenions à paraître affairés et à rédiger des tas de rapports. Nous passions aussi beaucoup de temps dans les bars, à nous saouler en espérant trouver l'inspiration.

« Si je voulais abattre un ennemi, je démolirais ses communications, ses infrastructures et sa capacité de surveillance », soupirait le major des Services spéciaux tout en sirotant son verre. « Les actes du dragon n'ont aucun sens. Il a laissé nos capacités militaires intactes.

— Sauf les quelques tours de communication qui étaient un peu trop agréables à regarder, a souligné Glenda.

— Mais ce n'est pas la bonne manière de combattre un ennemi.

— Ce n'est pas notre ennemi, ai-je suggéré, et pas pour la première fois.

— Peut-être essaie-t-il de nous intimider, a poursuivi le major. Vous savez, en détruisant l'art, qui ne sert à rien, mais en laissant intacts l'économie et les systèmes de défense mondiaux. Ça nous apprend que réagir n'est pas une solution, mais l'économie est OK et personne ne s'en trouve plus mal.

— À part les quelques amants des arts incapables de courir assez vite, lui ai-je rappelé.

— Et bon nombre de croyants, a ajouté Glenda. Ce doit être significatif.

— Ce n'est pas vrai, ai-je contré. Quantité d'églises, de mosquées, de cathédrales, de temples et d'autels ont été attaqués et pulvérisés, certes, mais seuls les fidèles qui ont essayé d'être des boucliers vivants ont été tués. Il nous montre qu'adorer est correct, aussi longtemps que nous ne laissons pas plein d'œuvres d'art se mettre en travers.

— En ce sens, le dragon nous en dit beaucoup, a remarqué le major. Nous ne le comprenons pas encore, c'est tout.

— Je ne suis pas d'accord, a dit Glenda. Nombre de gens pensent avoir déjà compris le message du dragon. Dans le monde entier, il y a des autodafés de livres d'art, de tableaux, d'art religieux, d'archives artistiques, de logiciels de dessins, et même de carnets de croquis vierges. Par le passé, les gens croyaient sur la base de la foi dans les saintes écritures, mais à présent, nous avons trois kilomètres d'un dragon invincible que n'importe qui peut voir et dont n'importe qui peut apprendre. Il y a déjà vingt-trois mille Dragonistes qui vivent dans des tentes le long des falaises et qui l'adorent constamment. Il y en a même qui s'offrent en sacrifice en sautant de la falaise pour s'écraser sur son corps.

— Ils vont avoir l'air plutôt bêtes s'il s'en va ailleurs, me suis-je esclaffé.

— Les fidèles sont certains qu'il va rester, a déclaré Glenda avec emphase. C'est une question de symétrie : le dragon a commencé à Paris avec la tour Eiffel et il a fini à Melbourne avec la flèche du Centre victorien des Arts. Melbourne était autrefois connue comme le Paris de l'hémisphère Sud.

— Est-ce vrai ? a demandé le major.

— Il y a environ un siècle, oui, ai-je acquiescé en me levant. C'est ma tournée : qui boit quoi ?

— Scotch sur glace, a dit le major.

— Rhum blanc avec une giclée de Coke, a dit Glenda.

— J'ai lu des trucs de folklore, a repris le major. Pourquoi toutes ces histoires de sacrifices de vierges à des dragons ? Pourquoi les humains vierges sont-ils spéciaux ?

— Vous constaterez que ce sont les filles vierges, ai-je expliqué. Tout est dans le symbole. Les pères, les frères, les soupirants, tous les types de guerriers sont très protecteurs des filles jeunes et innocentes. Si un dragon peut exiger qu'on les lui sacrifie, il a gagné l'ultime victoire symbolique sur les guerriers. Le dragon n'a pas bougé depuis que le mouvement de destruction des œuvres d'art a commencé, il préfère donc peut-être l'art aux vierges.

— La virginité, ça n'a pas de rapport, a acquiescé Glenda. Le dragon pourrait être un oracle religieux venu transmettre un message sur le gaspillage qu'est l'art, et sa futilité.

— Ce n'est vraiment pas une religion conviviale et spirituellement nourrissante, ai-je dit en adressant un signe au barman.

— Toutes les religions semblent extrêmes à leurs débuts, a dit Glenda.

— Vous parlez vous-même comme une croyante, ai-je observé.

— Je suis simplement une sociologue en action, ne vous en faites pas. » Elle a ri et son expression a changé aussi rapidement qu'une image en train de *morpher* sur un écran. « Vous savez, entrer directement dans l'esprit de ceux qu'on étudie.

— Les Services spéciaux ont la même approche, a dit le major. C'est la seule façon d'infiltrer correctement.

— Allez, avouez, je vous ai bien eu, n'est-ce pas ? lui a-t-elle demandé.

— Eh bien, oui et non. Je dois admettre que je commençais à me sentir un peu nerveux à votre sujet, et j'ai donc vérifié vos antécédents. Vous avez connu une belle carrière d'actrice pendant presque cinq ans.

— Je me suis mise au théâtre seulement afin de pouvoir effectuer un peu de travail de terrain sur la sociologie des compagnies théâtrales, pour mon diplôme. »

Dans mon expérience, ce genre de badinage est un préliminaire pour une nuit de divertissement au lit, aussi me suis-je retiré de la conversation. À la télévision du bar, j'ai regardé un reportage montrant un artiste se faire battre à mort en public pendant que la police antiémeute, à côté, regardait sans intervenir. De tels incidents devenaient de plus en plus fréquents. Les artistes mouraient, aux mains de foules enragées ou de meurtriers individuels. Les autorités civiles et militaires étaient à peu près impuissantes. C'était comme regarder les vieilles vidéos du Mur de Berlin pendant sa destruction. L'ancien régime communiste avait perdu le pouvoir, mais personne n'avait ordonné qu'on vide les bureaux et qu'on s'en aille, alors on se contentait de regarder. De nombreux opportunistes du gouvernement s'étaient joints aux Dragonistes.

L'image est devenue celle d'un rallye de purification où des artistes traversaient à pied la place d'une ville en se flagellant tandis qu'une pile de tableaux venus d'un quelconque musée local brûlait férocement.

« Scott, vous êtes encore là. »

Glenda s'est assise près de moi, en vacillant légèrement, puis elle a vidé son verre.

« Je suis le véritable Scott, l'original non virtuel. N'accepter aucun substitut, ils ont tous de qualité très inférieure.

— Le bar va fermer.

— Est-il aussi tard ? » ai-je dit en jetant un regard autour de moi. « Où donc est Monsieur Services Spéciaux de l'Aéronavale ?

— Déjà parti. Il doit se lever à l'aube et courir une quinzaine de kilomètres ou je ne sais quoi. Quels sont vos plans ?

— Rentrer chez moi, me coucher, réfléchir aux dragons et m'endormir. Vous ?

— Eh bien, je suis un peu lasse d'essayer de me mettre dans la tête des Dragonistes. Vous en êtes où, avec le dragon ?

— Un peu à court d'inspiration, comme d'habitude.

— Alors on a quelque chose en commun. Ça vous dit quoi, un peu de compagnie chez vous ce soir ? On dira que c'est une zone officiellement sans dragon. »

D'une certaine manière, j'étais plutôt flatté d'avoir quelque chose que le major n'avait pas, mais je n'étais pas intéressé.

« Écoutez… ne le prenez pas mal, mais je ne suis pas à l'aise avec ce genre de choses.

— Vous voulez dire que vous êtes gai ?

— Non, non, c'est simplement le contact humain qui me dérange.

— Le contact humain ?

— Je suis… douillet. Je ne veux pas vous insulter mais… eh bien, ce sont les germes.

— Ah, je vois. Vous portez des gants tout le temps et ne buvez qu'à des bouteilles que vous avez débouchées vous-même. Vous venez dans des restaurants avec nous, mais vous ne mangez jamais. Vous êtes un hypocondriaque, n'est-ce pas ? Un hypo-condriaque vraiment grave.

— Ça me garde en bonne santé.

— Comme c'est fascinant… » a-t-elle dit avec une curieuse intonation.

Ce que je lui avais confié était la vérité, mais il y avait davantage. Bien davantage. Je suis retourné à mon appartement, me suis changé pour passer une combinaison, puis je suis ressorti, cette fois pour me rendre dans un dépôt de services sanitaires. Je m'étais organisé une double vie. Trois ans plus tôt, à Londres, un artiste plutôt instable mentalement s'était vengé d'une critique négative de son exposition en lançant une bouteille de bière pleine de pétrole dans ma fenêtre. Heureusement, le chiffon enflammé s'était détaché à mi-chemin, mais depuis, j'avais toujours été très prudent et j'évitais de laisser les gens savoir où je demeurais vraiment. J'avais à présent le sentiment que je pourrais bien avoir besoin de disparaître dans une nouvelle identité, et quelle identité moins plausible, pour un artiste hypocondriaque, que celle d'un conducteur de camion à ordures ?

◆

Quelques autres semaines ont passé, pendant lesquelles l'ordre public ne s'est pas tant désintégré qu'il ne s'est réorganisé pour purger la société de tout ce que le dragon pouvait ne pas apprécier. Cela incluait certaines personnes, et j'étais hautement qualifié dans les beaux-arts. Le jour où Glenda a quitté le Comité consultatif pour se déclarer Dragoniste, j'ai abandonné mon appartement subventionné par le gouvernement, coupé tout contact avec le CCBD et je suis devenu un simple conducteur de camion à ordures dépourvu de tout intérêt pour les arts. Il y avait toujours pas mal de décombres à nettoyer dans les rues de Melbourne, avec toutes les purges artistiques en cours, aussi avais-je aisément trouvé un emploi. Je travaillais la nuit, parce que cela me rendait moins visible. Mon travail consistait à ramasser un nombre toujours croissant de cadavres et, de temps à autre, je reconnaissais le visage d'un collègue australien célèbre.

Des camps de concentration, censés assurer la protection des artistes, ont été installés dans la campagne, près de l'endroit où le dragon était au repos. Chacun d'eux portait, bien visible sur chaque toit et au-dessus des portes, l'inscription ENCLAVE DE PROTECTION DES ARTISTES. Personne ne le disait, mais c'était de toute évidence pour encourager le dragon à se rendre à un pique-nique campagnard plutôt que de ravager les cités, s'il décidait de se lancer de nouveau dans l'action. On a projeté des images des camps et de grandes cartes devant sa figure, mais il n'a même pas tressailli. La réputation de quelques Dragonistes, au gouvernement, commençait à sembler un peu branlante. Pour maintenir leur autorité, il leur fallait la sanction du dragon, mais le dragon n'apposait nulle part le sceau de son approbation. Ils auraient bientôt recours à des mesures nettement plus extrêmes, j'en étais certain.

✦

Chaque matin, après mon quart de nuit, je m'écroulais devant la télévision et je regardais les nouvelles. Presque toutes les émissions commençaient avec quelques secondes du dragon immobile, en direct, puis on passait à la plus récente émeute anti-art, aux dernières brutalités ou au dernier rallye.

« Notre esprit est captif de ce que nous désirons », ai-je dit à l'écran, qui montrait un autodafé de tableaux sur une place urbaine d'aspect anonyme. « Nous estimons précieux les souvenirs, les images, les artefacts, les belles choses, et l'art nous donne tout cela. Quoi d'autre? Des expériences, je suppose : nous aimons l'excitation de voir gagner notre équipe de foot, de séduire une personne désirable, la satisfaction de posséder la voiture la plus décorative de l'immeuble. En dehors de ça, il y a la sécurité, la richesse et la réputation, mais où tout ça nous mène-t-il? »

L'écran n'a pas répondu, et je n'avais pas non plus de réponse. Même si j'essayais avec beaucoup d'ardeur de me distraire et de laisser mon subconscient produire une soudaine illumination, ledit subconscient restait au lit avec un oreiller sur la tête. Je me suis préparé une salade lavée à l'antiseptique pour ce qui était une sorte de déjeuner matinal, et j'en ai arrangé les différentes composantes en une mosaïque du dragon en train de dévorer un artiste. Ça ne m'a pas inspiré, et j'ai à mon tour dévoré cette image.

Après m'être fait du café, j'ai de nouveau prêté attention à la télévision. Elle montrait à présent un sketch comique dont le cadre était la plage, devant le dragon. On attachait à un poteau un homme qui portait l'emblème stylisé des trois pinceaux disposés en A désormais imposé aux artistes. Le poteau avait été dressé devant un mur de sacs de sable. La caméra a effectué un travelling sur un peloton d'exécution formé de gens vêtus seulement de couvertures. Elle est revenue à l'artiste qui criait en se débattant, condamnait toute forme d'art et jurait n'avoir jamais de sa vie touché un pinceau. Le commentateur a lu son nom, le titre de ses œuvres principales, ses prix et la liste des subventions qu'il avait reçues du Conseil des Arts. Quelqu'un a crié « Feu ! ». Aucun effet spécial n'aurait pu imiter ce que j'ai vu ensuite.

« C'est bien réel », ai-je dit tout haut, hébété, sous le choc.

La caméra est passée à une file d'artistes qui attendaient leur tour près des sacs de sable. Certains étaient à genoux et priaient, d'autres se débattaient entre les mains de leurs gardes, mais quelques-uns réussissaient à manifester un semblant de dignité. Deux gardes ont détaché le corps de l'artiste défunt et l'ont traîné à l'écart. Un autre artiste a été traîné vers le poteau. Les sacs de sable, derrière, avaient été tellement percés par les balles que presque tout le sable s'en était écoulé, et le mur s'affaissait vers le milieu. Le commentateur nous a demandé d'attendre un communiqué important.

Tout d'un coup, on a enfoncé ma porte.

Le plus étrange, dans ce raid, c'est que personne ne m'a parlé directement. Quelqu'un a crié « C'est lui ! » et j'ai été saisi par des mains devenues de toute évidence bien entraînées à cette pratique, contrecarrant tous mes efforts pour me dégager. Des gens munis de caméras et de perches de son se sont entassés dans mon appartement.

« Non seulement c'est un universitaire et un critique d'art hautement qualifié, mais c'est aussi un puceau ! » s'est écrié un journaliste muni d'un micro-casque, et qu'entouraient au moins une douzaine d'autres personnes portant des caméras.

Dans mon propre téléviseur, je pouvais me voir tenu et attaché. J'étais un symbole, d'après le journaliste. Je possédais le dernier PhD en histoire de l'art accordé avant ce qui était maintenant appelé l'Âge du Dragon. Il continuait à affirmer que j'étais puceau, et j'en ai déduit que Glenda était impliquée. Après cette soirée au bar, elle m'avait sans doute suivi pendant toute une nuit et avait ainsi découvert l'emploi de mon identité secrète et l'existence de mon second appartement.

« Un artiste vierge, mesdames et messieurs. Je sais que cela semble une contradiction dans les termes, mais le voilà, déblatérait le commentateur. Il sera sacrifié au dragon, directement, comme preuve de... »

La seule manière assurée de faire couper le son dans une émission de télé, vers midi, c'est de hurler des obscénités, et justement c'est ce à quoi je me suis employé.

✦

J'ai peu de vergogne, quand il s'agit de rester en vie. Je hurlais et je me débattais pendant qu'on me traînait hors de mon appartement, et j'ai continué à me conduire comme un imbécile dépourvu de dignité devant plusieurs douzaines de caméras, sur le trottoir devant chez moi, tandis que huit hommes m'immobilisaient puis m'attachaient sur une civière. Je me suis égosillé à m'en casser la voix, en usant d'un langage extrêmement offensant, jusqu'à ce qu'un de mes gardes m'enfonce un rouleau de pansement dans la bouche. Ce qui a permis de rétablir le son de l'émission, et les journalistes revenus ont expliqué de manière répétée que j'étais vierge. J'ai été soulagé de cette humiliation lorsqu'un câble a été lancé d'un des hélicoptères qui faisaient du surplace au-dessus des lieux. Le treuil m'a hissé pendant que d'autres hélicoptères tournaient en rond, transmettant sans aucun doute des images à haute définition aux écrans de tous ceux qui étaient enclins à regarder.

Incapable de me débattre ni de crier, je me suis laissé aller mollement. L'ironie, c'est que je n'étais pas vraiment vierge. J'avais eu une rencontre sexuelle à dix-sept ans, à la suite de laquelle j'avais contracté une urétrite non spécifique. Comme j'avais peur d'attraper la moindre infection, cela m'avait découragé de toute autre relation sexuelle. Toutefois, la perspective de pouvoir déclarer sous serment que je n'étais pas vierge n'était pas très vraisemblable. Je ne me rappelais même pas le nom de la fille, seulement qu'elle avait été le modèle pour une classe de peinture de nu.

Cependant, si l'on se distrait assez longtemps avec des hurlements hystériques, le subconscient a une chance de penser sérieusement. Peut-être le mien était-il aussi opposé que moi aux pelotons d'exécution, car je me suis soudain rendu compte que j'avais une explication au mystère du dragon.

L'hélicoptère a atterri. La télévision m'avait déjà préparé au poteau, au mur de sacs de sable, à la ligne d'hommes et de femmes vêtus de couverture, des fusils automatiques à la main, à l'homme qui tenait le sabre de cérémonie, aux grands-prêtres dragonistes nus, aux caméras de télé et aux perches de son pourvues de leur embout pelucheux. Glenda se trouvait avec les prêtres dragonistes, aussi nue que les autres mais placée à l'avant, une position honorifique. La théologie dragoniste avait à présent décrété que seuls ceux qui se présentaient dans leur état totalement naturel pouvaient devenir des saints du dragon. Je me suis encore débattu quand les gardes ont commencé à me détacher. Les équipes de télé se sont rapprochées; de toute évidence, c'était un bon spectacle.

On a lu mon CV et mes hauts faits universitaires en histoire de l'art, on a de nouveau déclaré que j'étais vierge, puis on m'a invité à confesser mes péchés au dragon. On m'a ôté de la bouche le rouleau de pansement. J'avais maintenant exclusivement l'attention des médias du monde entier, mais je ne leur ai pas offert un babil insensé, des insultes ou des suppliques. En espérant que ma voix porterait, et que le dragon m'écouterait, j'ai regardé bien en face l'énorme face et ses yeux noirs et vides.

« Je te connais, ai-je dit avec la témérité de qui n'a plus rien à perdre. Je sais qui tu es. Tu es nous tous. Tu es issu du subconscient collectif de l'humanité. Nous t'avons créé sans le savoir. Pour nous dire que l'art est une erreur. L'humanité est sur le mauvais chemin ! Les gloires de l'art humain, tout ce qui est artistique, tout ce à quoi nous tenions tant, tout cela est une terrible faute. »

Je me suis interrompu pour reprendre mon souffle. L'homme au sabre a regardé les prêtres dragonistes. Glenda a froncé les sourcils, hoché la tête. Le sabre a commencé à se lever, et les membres du peloton d'exécution ont abaissé le cran de sécurité de leurs armes.

« Il y a quarante mille ans, nous avons commencé à peindre sur les parois de cavernes, mais nous étions dans l'erreur ! » me suis-je écrié désespérément. « Pendant un tiers de l'existence de l'humanité, nous avons bâti un immense terrain de jeux. Maintenant, il est temps de repartir à zéro, de reprendre le droit chemin.

— En joue ! » a crié le type au sabre, tandis que je m'interrompais pour essayer de me rappeler à quoi d'autre j'avais pensé.

Et là, je me souviens qu'il y a eu un brillant éclair lumineux et un souffle brûlant. Pendant quelques instants, j'ai été convaincu d'être mort et d'avoir une expérience forcée de voyage astral, puis j'ai vu des plaques de sable et de métal fondus là où s'étaient tenus les prêtres dragonistes, les gardes, les hélicos, le peloton d'exécution et le type au sabre. Ceux qui maniaient les caméras et les perches de son avaient été épargnés, et moi aussi.

Un vaste et profond grondement s'est élevé, comme un gigantesque navire qui aurait frotté un récif. La tête du dragon a commencé à se soulever, le cou s'est étiré, la face s'est rapprochée de moi. Pendant une éternité, elle est devenue de plus en plus grosse, puis elle s'est immobilisée. Si mes mains avaient été libres, j'aurais pu toucher la mâchoire inférieure, mais les yeux étaient à des centaines de mètres au-dessus de moi. Plusieurs instants ont passé. J'étais toujours vivant. J'avais déclaré quelque chose, je m'en souvenais. Le dragon manifestait son intérêt.

« Qu'est-ce qu'on fait ? a glapi l'un des opérateurs de caméra.

— Continuez à couvrir ça, ai-je conseillé. À mon avis, le dragon veut que le monde entende ce que j'ai à dire. »

Toutes les caméras se sont détournées de la tête du dragon pour me cadrer. J'ai rassemblé de mon mieux mes esprits et j'ai pris une grande inspiration.

« Pourquoi les humains sont-ils spéciaux ? Les rats sont plus nombreux. Le krill constitue une biomasse bien plus importante. Les termites ont survécu des milliers de fois plus longtemps que les humains. »

Je me suis encore interrompu pour reprendre mon souffle, et le monde entier m'a regardé respirer. Je n'avais qu'un seul argument, mais serait-il suffisant, je n'en avais pas la moindre idée.

« Nos cerveaux n'ont pas évolué spécifiquement pour que nous construisions des stations spatiales ou chassions des microbes dans le pergélisol martien. Nous pouvons le faire, mais nous n'*existons* pas pour ça. Nous pouvons aussi produire de splendides œuvres d'art, mais nous n'existons pas non plus pour ça. Nous sommes comme des enfants tellement doués pour jouer dans le bac de sable qu'ils n'en sont jamais sortis. Mais nous avons atteint l'adolescence, à présent, et un adulte est arrivé, il a donné un coup de pied dans nos merveilleuses sculptures de sable, et il nous a dit de devenir sérieux. Bien sûr, ça nous dérange, bien sûr, nous sommes perplexes, c'est bien dommage, mais c'est comme ça. »

Je n'avais plus rien à dire, et pourtant la tête aussi massive qu'un immeuble commercial était suspendue au-dessus de moi. Pourquoi ? Le dragon attendait-il que je dise quoi faire au monde ? Dans ce cas, j'étais mort. Il ne me restait plus rien que la vérité, et la vérité, c'était que je ne savais rien de plus. Je me suis préparé de mon mieux à être vaporisé.

« J'ignore ce que le dragon veut nous voir faire, ai-je avoué. Peut-être ne le sait-il pas davantage. Le type qui sort les ados du carré de sable ne sait sûrement pas ce qu'ils sont destinés à accomplir, mais ça va être bien plus que bâtir des châteaux de sable, bon sang. »

À ces mots, le vaste grondement a retenti encore une fois, la tête s'est retirée pour s'allonger de nouveau dans le sable.

« On devrait vraiment me relâcher », ai-je suggéré.

Une bousculade enthousiaste s'est ensuivie pour me détacher. Je me suis dirigé vers la plaque de verre fondu où s'était tenue Glenda.

« Voilà ce que le dragon pense des Dragonistes », ai-je dit en me retournant vers les caméras et en désignant la plaque. « Arrêtez les massacres, dissolvez les cultes dragonistes et trouvez-vous des vêtements convenables. »

Je parlais avec l'autorité du dragon, et le carnage a cessé dans l'heure même.

✦

Depuis, le dragon n'a pas bougé. À quelques semaines d'intervalle, j'émets une déclaration devant lui, et tout le monde décide que c'est la vérité parce que je reste en vie. Je suis un oracle moderne, avec tous les avantages liés à ce poste. Ceux qui rendent visite au dragon, désormais, sont essentiellement des touristes, même si quelques scientifiques essaient encore de le sonder à l'aide de leurs instruments. Personne n'a rien appris de nouveau, et je me demande souvent ce qu'on en attend. L'humanité a vu pulvériser ses certitudes les plus chères, et pourtant, on semble à présent curieusement déterminé. Les valeurs ne peuvent que changer lorsqu'un dragon invincible de trois kilomètres de long surveille tous vos actes.

Néanmoins, en privé dans mon bureau, je contemple souvent les photos de la tour Eiffel comme si c'étaient celles d'une amante défunte. Cela peut sembler curieux, de la part de l'oracle du dragon, mais comprendre ce que veut le dragon ne signifie pas être en accord avec son désir. Dans un siècle ou deux, il n'y aura plus personne comme moi, et nul ne regrettera ce qui a été perdu.

Mais ce sera encore un monde reconnaissable comme humain, je crois, parce que notre surconscience a choisi d'attirer notre attention et d'annoncer son message en se servant d'un dragon invincible de trois kilomètres de long pourvu d'une agaçante grimace ironique et suffisante. Cela me réconforte, parce que même si ce vaste esprit collectif ne se soucie nullement de nos mesquines valeurs et de nos petits plans, et que même si se servir du langage est au-dessous de lui, il garde à tout le moins un sens extrêmement humain de l'humour.

Sean McMULLEN

Traduction : Élisabeth Vonarburg
Parution originale : « The Art of the Dragon », *in* **The Magazine of Fantasy & Science Fiction**, *August-Sept. 2009*

Sean McMullen est un auteur australien qui a gagné de nombreux prix avec ses quinze romans de science-fiction et fantasy, ses soixante-dix nouvelles et novellas et ses articles (bien trop nombreux pour être comptés). Ses écrits ont été traduits et republiés dans plus d'une douzaine de pays. Son dernier roman paru est **The Time Engine** (2008). Pour se distraire, il a également collaboré à une histoire des pionniers de la science-fiction et de la fantasy australienne, et complété un doctorat en littérature médiévale. Lorsqu'il n'écrit pas, il travaille dans le domaine de l'informatique scientifique.

AMAZING Stories

et l'émergence de la science-fiction

par Marc Ross GAUDREAULT

Suzanne Morel

L'origine des premiers écrits de science-fiction remonte à loin. Déjà, chez les Grecs de l'Antiquité, le dialogue **Icaroménippe** de Lucien de Samosate racontait un voyage sur la Lune alors que le genre n'a pas encore de référent. On peut également citer, du même souffle, Cyrano de Bergerac, Voltaire et son **Micromégas**, ou les incontournables que sont Jules Verne et H. G. Wells – mais ceux-ci ne sauraient être, finalement, que des précurseurs, puisque le genre, à l'état d'émergence, n'était pas encore codifié et ne possédait pas cette autonomie qu'on lui sait.

Il faut attendre, au tournant du XXe siècle, l'émigration vers les États-Unis d'un ingénieur électricien originaire du Luxembourg pour que le genre naisse sous sa forme actuelle. Embarqué en février 1904 avec, sous le bras, un modèle de batterie électrique ainsi qu'un des premiers postes de radio portatif, deux inventions de son cru qu'il espère faire breveter en Amérique, Hugo Gernsback, né le 16 août 1884, un *self-made-man* comme l'Amérique les aime, est celui que

Jacques Sadoul et Jacques Van Herp, dont les histoires littéraires de la science-fiction font école[1], ont élu le « père de la science-fiction moderne »[2].

Ce qu'il y a de particulier, c'est que Gernsback est avant tout un *éditeur*. En effet, dans le but de promouvoir ses inventions, il fonde en 1908 la première revue technique de radio du monde, **Modern Electrics**, sous la bannière Modern Electrics Publications, qui deviendra plus tard Experimenter Publishing Company. Gernsback, en plus d'occuper le poste de rédacteur en chef, collabore à la revue par des textes de vulgarisation scientifique ou technique, et dans la même veine il écrit « le premier livre sur les émissions de radio, **The Wireless Telephone** (1910), et dessin(e) le premier poste de radio pour particulier »[3].

L'entreprise de Gernsback est florissante et **Modern Electrics** connaît plusieurs émules comme **Electrical Experimenter**, **Science and Invention**, **Radio News** ou **Practical Electrics**, au point où en 1929, « Hugo Gernsback a reçu un salaire de 50 000 $ par année ; son frère Sidney recevant 39 000 $. En guise de comparaison, le Gouverneur de l'État de New York gagnait 25 000 $ par année. »[4] Au total, Gernsback fondera, tout au long de sa vie, une cinquantaine de magazines.[5] Cependant, **Modern Electrics**, qui sera publié sans interruption jusqu'en décembre 1913[6], retient notre attention pour une raison particulière, puisque c'est dans le numéro d'avril 1911 (le premier numéro à posséder une illustration de couverture) que Gernsback publiera un premier texte de science-fiction, **Ralph 124C 41 +**.

Sérialisé en douze numéros, le feuilleton, dont le sous-titre est « Une chronique de l'an 2660 », est signé de la main d'Hugo Gernsback lui-même. Ce fut le seul roman que Gernsback écrivit. Le style en est, au mieux, médiocre, et le ton quelque peu mélodramatique ; mais laissons le soin à Jacques Sadoul d'en résumer le contenu :

« C'était une "romance scientifique", c'est-à-dire un de ces romans où l'intrigue amoureuse servait de prétexte à la description d'une technologie futuriste. Du point de vue littéraire, l'ouvrage de Gernsback est aujourd'hui absolument illisible ; en revanche, du point de vue de la prédiction des réalisations techniques à venir, il est stupéfiant (…) : vol spatial, éclairage fluorescent, publicité par lettres inscrites dans le ciel, meubles en fibre de verre qui évoque les matières plastiques, agriculture entièrement rénovée grâce à l'emploi d'engrais liquides et de champs à hautes fréquences stimulants la croissance des végétaux, également  cultures hydroponiques ; enregistrements magnétiques (mnémographes), emballage automatique, juke-box, acier inoxydable, microfilms remplaçant les encombrants journaux, télévision et téléphot (téléphone avec appareil de télévision), radio-diffusion, enseignement pendant le sommeil ou hypnobioscope (…) dans le chapitre XI, on trouve (…) avec dessin à l'appui, la description du radar tel que nous le connaissons de nos jours. »[7]

On pourrait ajouter à cette liste le contrôle du climat, l'énergie solaire et bien d'autres choses – Jacques Van Herp y relevant d'ailleurs un total de quarante-quatre inventions[8].

Gernsback répétera par la suite l'expérience de l'édition de fiction au sein de ses magazines scientifiques – en font foi les numéros de **Modern Electrics** qui publièrent de la fiction en plus des vulgarisations habituelles : 1911, avril à décembre ; 1912, janvier à mars et octobre à décembre ; 1913, janvier et février. L'engouement pour les numéros de magazines ayant de la fiction au sommaire convainc Gernsback de fonder  une autre revue qui se spécialiserait dans ce type de fiction à saveur scientifique ; et c'est ainsi qu'en avril 1926 paraît en kiosque le premier numéro d'**Amazing Stories**. Voilà tout un événement littéraire :

« En 1926, Hugo Gernsback publia le premier magazine régulier consacré à la S.-F. Dès lors, les magazines se mirent à pulluler, frappés aussitôt d'un mot d'infamie : "pulps", c'est-à-dire tout juste bon à être mis au pilon. Depuis, c'est devenu un titre de gloire, car jamais plus grande injustice ne fut commise. Tirés sur papier journal, jaunissant et tombant en morceaux avec le temps, ces magazines furent les laboratoires où s'élabora la S.-F. moderne, et son genre le plus captivant, le "Space Opera". »[9]

Ce sont effectivement les *pulps* de science-fiction qui permettront à Gernsback d'entrer dans la légende : en plus d'**Amazing Stories**, citons également **Science Wonder Stories** (juin 1929), **Air Wonder Stories** (juillet 1929) (ces deux dernières fusionnent en 1930 pour former **Wonder Stories**), de même que **Science Fiction Plus** (1953).

Les *pulps* succèdent aux *dime novels*[10] du début du siècle. Bon marché (**Amazing Stories** se vend 25¢), ceux de Gernsback n'en demeurent pas moins de bien meilleure qualité que ses prédécesseurs :

> « Le magazine était nettement plus grand que les pulps traditionnels (17.5 x 25 cm) ; son format était de 21 x 29 cm. Ses bords étaient massicotés, contrairement aux autres pulps, ce qui le rendait plus soigné et plus facile à lire. (…) L'éditorial de Gernsback [du premier numéro], intitulé "un nouveau genre de magazine", était surmonté d'un bandeau sur lequel on pouvait lire : *Extravagante fiction aujourd'hui… réalité demain* (Extravagant fiction today – cold fact tomorrow). »[11]

Gernsback, avec **Amazing Stories**, « cristallise en un genre séparé tous ces récits où se mêlaient visions prophétiques de l'avenir et extrapolations scientifiques. »[12] C'est véritablement une révolution. Dès lors, tous ces lecteurs épars et pourtant friands de cette nouvelle forme émergente de littérature peuvent se retrouver autour d'un seul magazine, un seul *pulp* qui facilite « l'identification et leur permet de former des groupes en contact étroit avec les éditeurs de SF – un phénomène jusqu'ici unique dans l'édition. »[13] Ceci grâce aux colonnes de courrier des lecteurs, qui permettent à ce lectorat de tisser des liens au sein d'une communauté jusqu'ici éparse et qui n'avait pas encore pris conscience d'elle-même, de son nouveau statut de *fandom* ; désormais, des clubs voient le jour autant que des magazines amateurs – les fanzines. De nombreux auteurs émergeront de cette communauté culturelle qu'est le fandom ; parmi eux, citons seulement Ray Bradbury et Arthur C. Clarke. Du mot de Gernsback : « Si cette nouvelle forme de littérature fait la joie du lecteur, c'est qu'il découvre à travers elle l'univers de la science, qu'il l'explore, qu'il essaye de le comprendre, y patauge, et finit par s'y mouvoir avec dextérité. »[14]

Il y a là une attitude positiviste par rapport à la science qui sera préconisée dans la ligne éditoriale. Toutefois, cette science, pas toujours exacte, relève très souvent d'une pseudo-science, comme on le verra plus loin lorsque nous aborderons le sous-genre du *space opera*. Il n'empêche que cette science constitue le point de ralliement de ces récits tel que le percevait Hugo Gernsback ; et c'est cette science qui forgera l'appellation du genre, appellation inventée par Gernsback lui-même : *scientifiction*, qui deviendra par la suite *science-fiction* en 1929. Laissons le soin au rédacteur en chef de définir le mot, tel qu'il le fit dans l'éditorial du premier numéro d'**Amazing Stories** :

> « Par scientifiction, j'entends des histoires du type de celles qu'écrivaient Jules Verne, H. G. Wells, Edgar Allan Poe, c'est-à-dire des histoires où l'intérêt romanesque est entremêlé de faits scientifiques et de visions prophétiques de l'avenir. (…) Edgar Allan Poe peut réellement être appelé le père de la scientifiction ; c'est lui qui, à l'origine, dans ses récits romancés, a astucieusement utilisé des faits scientifiques dans ses intrigues ou comme toile de fond de ses histoires. »[15]

On perçoit certains sourcils se relever : que vient faire Poe parmi cette tradition littéraire ? Ce dernier ne se situe-t-il pas à mi-chemin entre le thriller et le fantastique ? Et n'y a-t-il pas, dans cette définition, une forme de restriction de la science-fiction, une forme de cloisonnement du genre au sein des stricts paramètres de la prospective ? Denis Guiot relève cette interrogation qui, encore aujourd'hui, hante le champ de la science-fiction :

> « (…) [a]veuglé par son enthousiasme pour Poe, Verne et Wells, Gernsback n'a-t-il pas enfermé la SF balbutiante dans le redoutable ghetto de la paralittérature ? En faisant précéder le mot fiction d'un encombrant "science", n'a-t-il pas créé un contre-sens majeur source de tous les malentendus encore aujourd'hui (surtout aujourd'hui) et fourvoyé la malheureuse SF dans une impasse, celle de l'anticipation scientifique mâtinée de futurologie ? »[16]

Les jumeaux Bogdanoff (aimons-les ou détestons-les – cela importe peu), qui ont consacré un ouvrage entier à tenter, sans succès évident, de définir le genre de la science-fiction à travers une enquête de personnalités aux horizons variés[17], contournent le problème de la manière suivante :

« Revenons au mot même : "science-fiction". Celui-ci fut introduit dans l'usage aux États-Unis, en 1926 par Hugo Gernsback sous la forme *scientifiction*. À partir de 1929, il se transforma en "science-fiction", ce qui signifie littéralement en français "fiction scientifique". Bien qu'encore très largement utilisé, ce terme convient en fait de moins en moins, dans la mesure où il immobilise le genre dans le lien improbable entre la science et la littérature (…). Pour échapper à cette dangereuse réification, les multiples contenus du terme se sont donc réfugiés dans les hauteurs abstraites des deux initiales "S.-F.". Ce sigle nu, parfaitement lisse et inattaquable, définit le genre avec une aisance miraculeuse, dans la mesure même de son ambiguïté. Avant tout, il favorise le glissement de la science-fiction vers la nouvelle identité que lui ont choisie les "modernes" : *speculative fiction*, littérature spéculative. »[18]

Mais revenons à **Amazing Stories**. Un simple regard à une couverture suffit pour remarquer la naïveté du style, les couleurs criardes, la volonté de plaire au plus grand nombre et d'accrocher l'œil du lecteur potentiel qui traîne devant un kiosque à journaux :

« La S.-F. débuta avec un impact visuel servi par de nombreux artistes, eux aussi spécialisés dans le genre (…). Ces couvertures naïves, colorées, vulgaires à l'occasion, étaient si attirantes… On peut parier qu'elles suscitèrent plus d'une vocation de fans. »[19]

Arrêtons-nous sur la reproduction du tout premier numéro (avril 1926) :

« La couverture représentait une scène, dessinée par Frank R. Paul, d'**Hector Servadac**, le célèbre roman de Jules Verne. On y voyait quelques Terriens, isolés sur la comète qui les emporte, passer à proximité de Saturne. Cette couverture indiquait le nom de trois auteurs figurant au sommaire : H. G. Wells, Jules Verne et Edgar Allan Poe. Le nom de Hugo Gernsback, rédacteur en chef, était également mentionné. »[20]

Des patineurs (qui ne sont pas en scaphandre) sur une comète, avec Saturne en arrière-plan et des navires à voiles échoués sur des montagnes de glace, le tout sur fond jaune-canari : voilà toute l'essence du style de Frank R. Paul, qui devient l'illustrateur fétiche de Gernsback.

Frank Rudolph Paul est né en Autriche la même année que son employeur (1884), et est considéré, à juste titre, comme le premier dessinateur de science-fiction moderne. Son *modus operandi* était assez simple : il lisait les manuscrits retenus pour les numéros

d'**Amazing Stories**, et dès qu'il
tombait sur un passage qui l'ins-
pirait, il se mettait à dessiner,
au rythme d'un ou deux dessins en noir et blanc par jour
(illustrations à l'intérieur de la
revue) ou d'un dessin en couleur
par semaine (illustration de couverture). Prenons maintenant la
seconde couverture sur fond

jaune, celle arborant un homme volant. Celle-ci est d'une importance
historique; également dessinée par Frank R. Paul, elle met en scène
Buck Rogers:

> « Beaucoup d'amateurs connaissent aujourd'hui la célèbre bande
> dessinée, **Buck Rogers in the twenty-fifth century** [dont Harry
> Harrison, qui fut pendant un temps rédacteur en chef d'**Amazing**, fut
> l'un des scripteurs]; en revanche on sait moins que son origine se
> trouve dans une nouvelle, « Armageddon 2419 A.D ». de Philip
> Francis Nowlan, parue en [août] 1928 dans **Amazing Stories**. C'est
> un excellent récit qui, du point de vue des qualités narratives, était
> très en avance sur son époque. Il raconte l'histoire d'Anthony Rogers
> [le diminutif "Buck" ne viendra que plus tard] qui, en 1927, respire
> une bouffée de gaz radioactif et reste près de cinq cents ans en état
> d'animation suspendue. Il se réveille pour voir une jeune fille, Wilma,
> portant une ceinture antigravité et un harnais de fusées propulsives,
> atterrir près de lui. Dick Calkins illustrera à merveille ce passage dans
> la bande dessinée. Son style (…) était nettement inspiré des dessins
> de Frank R. Paul illustrant la nouvelle de Nowlan dans **Amazing**. »[21]

La troisième couverture sur fond jaune, celle arborant une mouche
géante, également de Frank R. Paul, est significative à cause d'un
trope narratif qui est rapidement devenu récurrent au sein des pages
d'**Amazing Stories**, mais également dans les autres *pulps* en général et
auquel la science-fiction de l'époque, au sein de l'imaginaire collectif, est souvent associée: celui du Bug-Eyed-Monster (ou B.E.M.):

> « Il faut reconnaître néanmoins que les *pulps* exagérèrent: les êtres
> des autres planètes y devenaient plus affreux et plus sanguinaires de
> numéro en numéro, les inventions passaient la mesure, et les guerres
> interplanétaires n'étaient dignes d'attention que si elles embrassaient
> la moitié d'une galaxie pour le moins. Surtout, ils sont responsables
> du pullulement des B.E.M.s, les Bugs-Eyed-Monsters, les monstres
> aux yeux de scarabées, totalement horrifiants et antisociables, aux
> tendances lubrico-gastronomiques. »[22]

Nous reviendrons plus loin sur la question des excès du contenu
des récits. Si l'on reprend le premier numéro d'**Amazing Stories**,
celui-ci n'arbore au sommaire que des réimpressions: **Hector**

Servadac de Jules Verne ; « The Facts in the case of M. Valdemar » d'Edgar Allan Poe et une nouvelle de H.G. Wells – voilà pour les grands noms. On retrouve également au sommaire des auteurs moins connus, mais également en réédition : George Allan England, Austin Hall (tous deux des réimpressions de **Munsey's Magazines**) et G. Peyton Wertenbaker (une réimpression de **Science and Invention**). C'est ce dernier, G. Peyton Wertenbaker, qui a l'honneur, à dix-neuf ans, d'être l'auteur du premier inédit paru dans la revue ; « The Coming of the Ice » paraît ainsi dans le troisième numéro de la revue (juin 1926).

Cette politique de la réimpression consiste à inscrire le magazine dans une tradition littéraire. **Amazing Stories** est certes une nouveauté littéraire, mais le genre, s'il se définit ontologiquement à ce moment précis de l'histoire, possède déjà une tradition qui relève de l'historicité littéraire et dont Gernsback non seulement se positionne comme une continuation de cette tradition, mais également comme un instrument de la mémoire culturelle qui se charge de rappeler cet héritage légué par ces auteurs qu'il élève au rang de modèles. Au total, « Gernsback publia, entre 1926 et 1929, une trentaine d'histoires de Wells, neuf romans de Jules Verne, sept nouvelles d'Edgar Poe, plus de nombreux récits réédités de **Munsey's Magazine**. »[23]

Malgré un succès immense et des ventes, pour **Amazing Stories** seulement, atteignant environ 100 000 exemplaires par mois, Experimenter Publishing Company se retrouve, en avril 1929, sous le couvert de la faillite. Une certaine confusion existe concernant les événements entourant cette banqueroute, au point où deux versions des faits cohabitent. Puisqu'il fut impossible de vérifier certaines sources, il faut conséquemment présenter les deux opinions, que l'on retrouve synthétisées, pour l'une, dans l'ouvrage **Histoire de la science-fiction moderne** de Jacques Sadoul, et pour l'autre, l'encyclopédie en ligne **Wikipedia**. Débutons avec la première mentionnée :

« Un matin d'avril 1929, Gernsback fut réveillé par la sonnerie du téléphone. Un reporter lui demandait de s'expliquer sur la banqueroute de sa maison d'édition. Gernsback fut absolument sidéré, mais dut bientôt se rendre à l'évidence : à son insu, il avait fait banqueroute ! Il s'agissait d'une manœuvre frauduleuse d'une autre compagnie qui désirait racheter celle de Gernsback. *Elle avait profité d'une loi de 1929 qui permettait de faire mettre légalement en banqueroute toute*

maison contre laquelle trois débiteurs différents portaient plaintes pour factures impayées. Le fait que la compagnie de Gernsback fut parfaitement solvable et largement bénéficiaire ne changea rien à l'affaire et les autorités, tout en reconnaissant que cette banqueroute était le résultat d'une ignoble manœuvre de la concurrence, ne purent qu'appliquer la loi. Tout ce que Gernsback réussit à empêcher fut que ce soit la compagnie investigatrice du mauvais coup qui puisse absorber la sienne. »[24]

La mention de la loi de 1929 semble implicitement commune aux deux versions des faits :

« À partir de 1927 les dépenses excèdent les revenus d'Experimenter Publishing Company. La station de radio possédait un courant de revenus publicitaires mais il y avait la nouvelle installation de transmission au New Jersey en plus de l'investissement dans l'équipement de télévision. WRNY [la station de radio d'Experimenter Publishing] perdait environ 50 000 $ par année en 1927. (…) Les plus gros créanciers étaient les fournisseurs de papier, Bulkley Dunton Co. (154 406 $), Art Color Printing Co. de Dunellen, N. J. (152 908 $) et Edward Langer Printing Co. (14 614 $). Le 20 février 1929, *une pétition involontaire de faillite* fut remplie contre Experimenter Publishing Company au nom de Daniel Walters [2 030 $], Marie E. Bachmann (2 094 $) et Robert Halper (2 095 $). Le fait que des créanciers mineurs forcèrent [la compagnie à] la faillite a nourri, au fil des années, plusieurs théories de conspiration. Le passif total était estimé à 600 000 $ et les actifs à 182 000 $. »[25]

Dans un cas de figure, nous avons une compagnie solvable et largement bénéficiaire qui serait le sujet d'un complot pour en prendre possession ; dans l'autre, une compagnie largement déficitaire, dont le passif associé à ses débiteurs correspond à plus de trois fois ses actifs mais dont les procédures de mise en faillite ont été involontaires. Qui dit vrai ? Peu importe, le résultat est le même : Gernsback fut mis en faillite.

Ne s'avouant pas vaincu, Hugo Gernsback trouve le capital nécessaire et forme immédiatement une nouvelle compagnie, Stellar Publishings, qui publie en juin 1929 le premier numéro de **Science Wonder Stories** et en juillet le premier numéro de **Air Wonder Stories**, deux mensuels, de même qu'un trimestriel à l'automne de la même année, **Science Wonder Quaterly**. C'est dans l'éditorial du premier numéro de **Science Wonder Stories** (juin 1929) que Gernsback emploie pour la première fois le terme "science-fiction", appellation qui sera immédiatement adoptée par tous ses concurrents – et qui demeure encore aujourd'hui.

Rappelons que **Wonder Stories** remplacera en 1930 **Science Wonder Stories** et **Air Wonder Stories**. La revue ainsi fusionnée connaîtra un certain succès. En 1934, celle-ci tirait à 25 000 copies par mois, ce qui correspond au tirage mensuel d'**Amazing Stories** pour la même année – cette dernière ayant périclité après les années Gernsback où, rappelons-le, elle tirait à environ 100 000 exemplaires par mois. **Amazing** connaîtra un regain au début des années soixante sous la direction de Cele Goldsmith, avec un tirage de 50 000 par mois, qui périclitera ensuite doucement pour se situer à 25 000 exemplaires au milieu des années soixante-dix, sous la direction de Ted White, puis à moins de 10 000 au tournant de 1990, sous la direction de Patrick Lucien Price pour finalement mourir en 2005. On trouvera, en Annexe 1, une liste des rédacteurs en chef d'**Amazing Stories** qui ont succédé à Hugo Gernsback, accompagnée d'un bref résumé de leur influence sur le contenu du magazine.

Par curiosité, attardons-nous sur cette période post-Gernsback de 1929, au lendemain de la faillite de Gernsback. Pour les collectionneurs, cette période ne possède que peu d'attraits, comparativement aux numéros des années Gernsback, lesquels sont aujourd'hui de véritables objets de convoitise. De façon surprenante, le numéro d'**Amazing Stories** de septembre 1929 (qui nous sert ici d'exemple, et dont le sommaire est reproduit en Annexe 3 avec un résumé des nouvelles qui y sont publiées) arbore ainsi un contexte éditorial qui renvoie pourtant directement à la tradition laissée par Gernsback. En effet, Arthur H. Lynch, le nouveau propriétaire de la revue, en est certes le nouveau rédacteur en chef – du moins en théorie. Dans les faits, sa position relève du symbolique : tout le travail éditorial, y compris la rédaction des éditoriaux et la sélection finale des textes, est effectué par le docteur T. O'Conor Sloane, qui était l'assistant d'Hugo Gernsback quand celui-ci dirigeait le magazine – au point où en octobre 1929, Sloane occupe officiellement le poste de rédacteur en chef qu'il conservera pendant presque dix ans, soit jusqu'en mai 1939. Sloane poursuit la politique de Gernsback en ce qui a trait des rééditions de Verne et Wells, et met l'accent, pour le choix des inédits, sur l'aspect didactique par rapport à la science, comme il l'expose d'ailleurs dans son éditorial de ce même numéro de septembre 1929, où il admet du même souffle l'influence que possède le *fandom* sur la ligne éditoriale :

« "Notre magazine" comme quelques-uns de nos correspondants le considèrent – c'est ce que nous souhaitons qu'il soit. Les histoires interplanétaires sont de grandes favorites et ont reçu plusieurs votes de préférence et celles-ci nous devons donner. Mais elles sont fondées sur l'imagination et la science qu'elles contiennent doit inévitablement être abondamment étirée afin de couvrir les distances qui doivent être traversées. Nous avons reçu beaucoup d'autres votes de préférence de nos lecteurs, et nous nous efforçons de les respecter, mais ce n'est pas toujours possible. Mais notre présent désir, comme toujours, est que vous appeliez ceci "votre magazine" ; que vous l'appelez "notre magazine", le réclamant comme vôtre, et de sentir que nos lecteurs

sont un corps de rédacteurs en chef qui nous aide par leurs sug-
gestions et nous encourage par leurs bons souhaits, et lorsque c'est
mérité, qui nous critique et nous dicte nos défauts. »[26]

Par contre, Sloane est également connu pour sa lente réponse
éditoriale après l'envoi de manuscrits, ce qui lui fait perdre de plus
en plus d'auteurs expérimentés au profit de ses concurrents. Il faut
alors admettre que, dans ce contexte, peu de matériel inédit à saveur
canonique ne paraît sous la direction de Sloane – hormis, il faut le
souligner, la toute première nouvelle publiée par Isaac Asimov,
(comme en fait foi l'Annexe 2 : Auteurs découverts dans **Amazing
Stories**).

Comme pour tout magazine ou journal postérieur à J. W.
Reynolds, une bonne part des revenus provient des publicités insé-
rées dans les pages du magazine ; toutefois, on note que ces publicités,
somme toute nombreuses, sont confinées en bloc au début et à la
fin du numéro, de façon à ce que les textes de fiction puissent former une unité constituant le cœur du pulp – évitant ainsi de briser
l'acte de lecture par des publicités envahissantes. Le courrier des
lecteurs, situé à la suite des nouvelles, est ainsi amalgamé aux publicités de fin, alors que l'éditorial, qui occupe une page entière, est
précédé d'une série de publicités « pleine page ». Le sommaire
arbore une curiosité qu'il est nécessaire de relever : une gravure
représentant la véritable tombe de Jules Verne où l'on voit celui-ci
s'extirper de sa sépulture en signe d'immortalité et qui revient à
chaque numéro.

Toutes les nouvelles inédites parues dans
Amazing Stories ont un point en commun :
leur condition d'écriture, comme l'expose
Stan Barets dans **Le Science-fictionnaire** :

> « Originellement publiée dans des revues
> mensuelles, lointaines héritières des feuille-
> tons populaires du siècle précédent, la S.-F.
> dut dès le début se plier à de rigoureux cri-
> tères de longueur. Le roman eut été trop long.
> On privilégia donc la nouvelle, et par suite
> les "cycles" et les "séries", artifices de base
> pour déguiser les textes trop copieux. Le livre
> n'est intervenu que tardivement dans l'histoire
> de la S.-F. »[27]

Nous voilà bien dans une rhétorique de la sérialité, où les conditions d'écriture s'apparentent à celles des feuilletons du XIXe siècle.
Payés au mot, les auteurs veulent allonger leur récit pour que celui-ci
leur soit financièrement plus profitable. Seulement, le format magazine leur interdit les textes trop longs. Les séries deviennent un
entre-deux qui rapporte alors tant à l'auteur qu'à l'éditeur, ce dernier y

voyant la possibilité de se fidéliser une partie de son lectorat, qui désire lire la suite de l'aventure qui vient abruptement de se terminer sous ses yeux, avec la mention « À suivre dans le prochain numéro » scotchée à la fin du texte.

Et cette rhétorique profite à la conception américaine de la science-fiction – au détriment de celle qui émergeait au même moment en France. Car il y avait bien, aux tous débuts de la science-fiction, une "compétition" pour savoir dans quel pays émergerait finalement le genre, puisque des auteurs comme Rosny aîné et Maurice Renard, dans l'Hexagone, publiaient déjà des récits qui relevaient du genre au moment même où Gernsback en était encore à sérialiser son **Ralph 124C 41 +**. Jacques Van Herp explique cette prédisposition de la science-fiction envers la rhétorique du feuilleton en ces termes :

> « Tout auteur français est, plus ou moins, un fils de Flaubert et un petit-fils de Mme de la Fayette (…). Or cette démarche, assez lente et sinueuse, somme toute, ne convient pas au récit d'aventures. Et, tout au moins dans ses débuts, la science-fiction doit être un roman d'aventures si elle veut plaire au plus grand nombre, gagner des lecteurs, s'étendre et s'imposer à un public de plus en plus vaste. »[28]

Rechercher le populaire pour que le genre puisse éclore au sein du public, qu'il puisse s'extirper d'une certaine marginalité et trouver un lectorat qui lui soit fidèle, voire exclusif – voilà qui correspond davantage à l'esprit d'*entrepreneurship* de Gernsback qu'aux auteurs français, lesquels avaient pourtant une longue tradition du feuilleton sur laquelle ils auraient pu compter, mais qui s'était perdue au tournant du siècle :

> « Un type de narration rapide, sans temps morts, sans ralentissement de l'action était requis, mais les lettres françaises avaient perdu la tradition de Dumas, Féval, Ponson du Terrail lors de la disparition de G. Leroux et M. Leblanc. (…) Et c'est ce qui se faisait précisément dans les revues américaines, avec l'utilisation d'une autre rhétorique narrative ! »[29]

Par "autre rhétorique narrative", Van Herp entend ni plus ni moins que l'invention, dans les pages d'**Amazing Stories**, du sous-genre du *space opera*, lequel contribua à cristalliser la fondation du genre et de ses codes autour des pulps américains. En effet, c'est ce sous-genre qui fournit une profusion de nouveaux topoï narratifs rapidement devenus récurrents, et qui seront repris ultérieurement par d'autres sous-genres de la science-fiction à prétention plus "sérieuse".

Ah, le *space opera* ! Le terme fut forgé en 1941 par un certain Wikon Tucker, apparemment « avec un sens nettement péjoratif pour désigner ces aventures, naïves et gratuites, qui avaient fortement tendance à tirer à la ligne. »[30] Toute cette imagerie qui s'est imprégnée dans l'imaginaire culturel au sujet de la science-fiction, nous le devons au *space opera* de l'époque glorieuse des *pulps* – et par "imagerie", nous entendons les fusées, les désintégrateurs, les rayons de la mort, les armées épiques se battant à l'épée et au laser sur de lointaines planètes exotiques, les guerres intergalactiques, les extraterrestres belliqueux et violents aux yeux globuleux d'insecte tout juste bon à se faire massacrer, les femmes sexy qui sont ou des victimes passives, ou des guerrières sans pitié, et surtout, « un héros justicier, intrépide patrouilleur des espaces intersidéraux. »[31]

Ainsi, parce que la science-fiction française confinait ses récits à la seule Terre, elle s'est vu éclipsée par l'élargissement des frontières qui caractérisait le *space opera* à l'américaine : « Là se marque la différence : d'un côté, un univers prisonnier des frontières étriquées de la Terre, de l'autre, un monde en pleine expansion, qui déborde les frontières du système solaire, déferle sur la galaxie, puis sur les galaxies. »[32]

Derrière cette volonté d'expansion des pionniers cosmiques vers de nouvelles frontières se cache le souvenir de la Conquête de l'Ouest et de la primauté de l'*American way of life* sur toutes les autres civilisations – extraterrestres ou non. Cette contamination de l'esprit capitaliste et colonialiste sur la production d'œuvres populaires relevant du *space opera* devait malheureusement aller de pair avec l'émergence du genre :

> « Car, à la limite, tout se passe comme si les hommes ne colonisaient qu'un espace désert, depuis toujours prêt à les recevoir : toute trace d'idéologie contraire est pudiquement effacée de cette épure où il s'agit d'annexer les étoiles, sans qu'apparemment cette entreprise pose la moindre difficulté idéologique. Bien plus, le capitalisme nous est donné, dans presque tout le *space opera*, comme une structure idéale qui fixerait toutes les vertus : l'homme y est toujours courageux, loyal et honnête, sans que jamais son désir d'annexer l'univers tout entier soit autre chose que le signe conducteur d'essences humaines toutes innocentes. »[33]

N'empêche que le *space opera*, malgré l'idéologie foncièrement réactionnaire qui le caractérise trop souvent (ce n'est, heureusement, pas toujours le cas), contribua à l'émergence du genre plus général de la science-fiction par la seule popularité qu'il engendra auprès du lectorat. Certes, son corpus contient davantage de récits médiocres que les autres sous-genres de science-fiction. Certes, le style d'écriture qu'il appelle est fait de dépouillement et de sobriété. Mais un fait demeure : le *space opera* sait captiver l'imaginaire du lecteur par l'ambiance qui y règne, soit une poétique du dépaysement que vient justement renforcer la simplicité du style, mais aussi des codes propres au sous-genre.

Deux écoles vont forger le *space opera* : celle d'Edgar Rice Burroughs et celle d'Edmond Hamilton et Edward Elmer "Doc" Smith.

Edgar Rice Burroughs[34] est l'auteur du plus gros succès commercial de l'époque, tous genres confondus : la série des *Tarzan* (27 romans mettant en scène le personnage !). Il est également le père du *space opera* :

> « Le père du "Space Opera" reste Edgar Rice Burroughs, même si d'autres en écrivirent avant lui. Burroughs, auteur du cycle de Barsoom [nom fictif de Mars], des prodiges de John Carter, a donné naissance à ces planètes cliquetantes d'épées, pleines de jolies filles et de monstres variés, de décors ruinés et de grands espaces déserts ou de jungles féroces. »[35]

Burroughs, c'est le *space opera* à grande échelle, où le destin de la galaxie, voire de l'univers entier, est menacé par une race hostile que le protagoniste, un homme héroïque et macho, devra combattre à grands coups d'épées et de rayons désintégrants dans des décors saugrenus, anachroniques et insolites. Le *happy end* y est omniprésent, et l'*heroic fantasy* lui doit beaucoup (pour ne pas dire

tout). En fait, tout ici relève de l'épopée, de l'épique ; ceux qui connaissent Flash Gordon ou Buck Rogers reconnaîtront la filiation de ceux-ci envers l'école de Burroughs (particulièrement Flash Gordon). L'imagination débridée favorise le plaisir de lecture que renforce, aujourd'hui, la distance temporelle avec l'année de publication originale et ce, malgré des dessous machistes et une qualité formelle somme toute médiocre. D'ailleurs notons que :

> « (…) l'aspect scientifique de ces récits est complètement négligé au profit de l'aventure elle-même ; c'est l'univers de Pellucidar, Flash Gordon et Barsoom, de ces forbans vêtus de cuir qui boivent du séguir en compagnie d'extraterrestres toujours suspects ou d'une belle Exotique dans les quartiers mal famés de la ville basse. Tout cela est un peu caricatural (et baroque) mais plein de charme, et reste la proie favorite des illustrés et publications destinées à la jeunesse. »[36]

L'école d'Edward Elmer "Doc" Smith et d'Edmond Hamilton, tout en évitant les anachronismes chers à Burroughs (où les épées côtoient les pistolets à rayons), est tout aussi grandiose, mais plus

nuancée dans son propos. Les finales heureuses y sont moins fré-
quentes, et l'homme n'impose plus son sceau de possession aussi
aisément que chez Burroughs :

> « [C'est là un] *space opera* plus rigoureux et davantage ouvert à l'in-
> vestigation scientifique. Contrairement aux règles appliquées naguère,
> l'action prime cette fois sur le décor, la lutte manichéenne de l'homme
> débouchant sur un triomphe plus nuancé et somme toute plus modeste.
> Toutefois, là non plus il n'y a guère d'économie de moyens, depuis
> les armes fabuleuses (et risibles) et les méga-fusées, jusqu'aux bou-
> leversements à l'échelle cosmique (translation de systèmes stellaires,
> naufrages d'empires galactiques, fracture de l'espace-temps, etc.). »[37]

Hamilton fut le premier, et il fut rapidement imité, notamment
par ses amis Jack Williamson et E. E. "Doc" Smith et ce, même si
Hamilton contribua surtout à la revue **Weird Tales** (soixante-dix-neuf
récits publiés dans ce *pulp*; toutefois, Hamilton contribua à pratiquement tous les *pulps* paraissant dans les années vingt et trente).
Ce trope récurrent d'une patrouille stellaire qui sauve l'univers à
répétition, c'est Hamilton qui en détient le brevet; mais c'est la parution de **Skylark of space** de E. E. Smith qui marque définitivement
cette école : « L'accueil des lecteurs fut délirant et E. E. "Doc" Smith
connut immédiatement une extraordinaire popularité »[38], qui perdura
jusque dans les années quarante. Ce roman, écrit en 1915-1916 et
publié dans le numéro d'**Amazing Stories** d'août à octobre 1928, est :

> « (…) [c]aractérisé par un charme puéril et vieillot, une suite de
> périls et de prodiges, [et] le livre eut une immense influence sur les
> *pulps* de S.-F. (…). Chaque nouveau livre de Smith est une sorte de
> surenchère (…). C'est une escalade avec, chaque fois, des armes plus
> fabuleuses que les précédentes. »[39]

Avant de conclure, mentionnons que le champ de la science-
fiction sut rendre à Hugo Gernsback les honneurs qui lui étaient dus.
Cette consécration apparut sous la forme du prix Hugo, nommé en sa
mémoire. Ce prix, décerné une fois l'an dans le cadre de la Convention mondiale (dont l'édition 2009, rappelons-le, s'est tenue en
août 2009 à Montréal) selon le résultat des votes des participants
(généralement environ 5 000 votants), a été institué en 1953. Le
premier récipiendaire fut Alfred Bester pour **L'Homme démoli**; et
en 1960, Hugo Gernsback reçut un prix Hugo spécial pour son apport
à la science-fiction. On le reconnaît comme le père de la première
époque du genre. Certes, **Amazing Stories** fut supplanté comme
meilleur *pulp* dans les années trente par son principal compétiteur,
Astounding Stories of Super-Science, fondé en 1930[40] (en grande
partie à cause de la faible rémunération qui prévalait chez **Amazing** :
0.5¢ le mot, contrairement aux 2¢ le mot chez **Astounding**), laquelle
revue allait provoquer l'Âge d'Or de la science-fiction. Mais cela

132

n'enlève pas le mérite d'Hugo Gernsback d'avoir fondé le premier magazine, le pionnier, celui qui conféra un sens moderne et autonome au genre qu'il a baptisé: la science-fiction. Et il est à la fois manifeste et révélateur qu'ici, au Québec, la science-fiction, comme chez nos voisins du sud, est également née, en 1974, autour de Norbert Spehner, un immigrant venu d'Alsace (à moins de 300 km du Luxembourg!) alors éditeur d'une revue – **Requiem**, la première du genre, l'aïeule de notre chère **Solaris**…

Marc Ross GAUDREAULT

Rédacteurs en chef d'**Amazing Stories**

Hugo Gernsback (avril 1926 – avril 1929). Fondateur du *pulp* et du genre de la SF.

Arthur H. Lynch (mai 1929 – octobre 1929). Lynch est rédacteur en chef en apparence seulement; tout le travail est effectué par le docteur T. O'Conor Sloane, l'assistant de Hugo Gernsback.

T. O'Conor Sloane (novembre 1929 – mai 1939). Poursuit la politique de Gernsback de réédition de Wells et Verne; met l'accent sur l'aspect didactique par apport à la science; la lente réponse de l'éditeur après réception d'un manuscrit cause la défection des auteurs; peu de bon matériel publié durant cette période, sauf la première nouvelle d'Asimov.

Raymond A. Palmer (juin 1939 – décembre 1939). Propriétaire: Ziff-Davis; introduction d'une quatrième de couverture illustrée; met l'accent sur le divertissement et le sensationnel; auteurs issus du *fandom*.

Bernard G. Davis (janvier 1940 – mai 1946). Davis est rédacteur en chef en apparence seulement: tout le travail est effectué par Raymond A. Palmer.

Raymond A. Palmer (juin 1946 – décembre 1949). Voir plus haut.

Howard Browne (janvier 1950 – août 1956). Publie des inédits de Fritz Leiber, Fredric Brown, Clifford D. Simak.

Paul W. Fairman (septembre 1956 – décembre 1958).

Cele Goldsmith Lalli (janvier 1959 – juin 1965). Découvre toute une nouvelle génération d'auteurs dont Ursula K. Le Guin, Roger Zelazny; publie des inédits de Fritz Leiber, Robert Bloch, James Blish.

Joseph Wrzos, sous le pseudonyme Joseph Ross (août 1965 – octobre 1967).

Harry Harrison (décembre 1967 – septembre 1968). Auteur du roman **Make Room! Make Room!** Titre français: **Soleil vert** (titre de l'adaptation au cinéma).

Barry N. Malzberg (novembre 1968 – janvier 1969).

Ted White (mars 1969 – février 1979). Refonte du look du magazine, désormais de très bonne qualité ; paie le cinquième des compétiteurs ce qui le force à publier beaucoup de nouveaux auteurs ; déborde du strict cadre de la SF en incluant le psychédélique ainsi que de la fiction plus classique.

Elinor Mavor (mai 1979 – août 1981 sous le pseudonyme Omar Gohagen ; novembre 1981 – septembre 1982 sous son véritable nom). Budget limité, beaucoup de réimpressions ; découvre Michael Kube-McDowell ; Robert Silverberg y est *columnist*. Publie des inédits de Orson Scott Card, George R. R. Martin, Roger Zelazny.

George H. Scithers (novembre 1982 – juillet 1986).

Patrick Lucien Price (septembre 1986 – mars 1991).

Kim Mohan (mai 1991 – 1995, sous le propriétaire TSR ; puis 1998-2000, sous le propriétaire Wizard of the Coast). Relance la revue en 1998 après trois ans sans publications ; contenu axé sur le multimédia ; focus sur *Star Trek*.

David Gross (mai 2004 – octobre 2004). Relance la revue ; contenu encore plus axé sur le multimédia.

Jeff Berkwitts (octobre 2004 – mars 2005). Le dernier numéro paraît exclusivement en format pdf. Le premier *pulp* de science-fiction n'est plus.

ANNEXE 2
Quelques auteurs de renom découverts dans **Amazing Stories**

Murray Leinster – avait déjà publié une nouvelle, « The Foreigner », dans la revue littéraire **The Smart Set** en 1916 ; mais sa première nouvelle de SF, « The Runaway Skyscraper », sera publiée une première fois en février 1919 dans la revue **Argosy** avant d'être rééditée dans **Amazing Stories** de juin 1926. Il est l'inventeur des histoires de mondes parallèles.

Edgar Rice Burroughs – avait déjà publié. Premier récit dans **Amazing Stories Annual** (vol.1, juillet 1927), soit le sixième roman de la série *Barsoom* : **The Mastermind of Mars**. L'auteur publiera également, en 1941, quatre romans qui, ensemble, formeront le dixième roman de la série de *Barsoom*, soit **Llana of Gathol** : « The Ancient Dead » (à l'origine « The City of Mummies »), « The Black Pirates of Barsoom », « Escape on Mars », « Invisible Men of Mars ». Deux autres romans publiés dans **Amazing Stories** formeront ultérieurement le dernier tome de la série de *Barsoom*, *John Carter of Mars* : « John Carter and The Giant of Mars » (1941) ainsi que « Skeleton Men of Jupiter » (1943). Bien que ce onzième tome complète la série de *Barsoom*, notons que l'intrigue du récit demeure ouverte et irrésolue : c'est la mort de Burroughs qui a mis un terme à la série…

Howard P. Lovecraft – **Amazing Stories** publie une nouvelle alors inédite de Lovecraft dans son numéro de septembre 1927 – et pas n'importe laquelle : « The Colour Out of Space » (« La Couleur tombée du ciel »), l'un des grands textes lovecraftiens. Sans être la première publication du reclus de Providence, « (…) [c]'était la première fois que Lovecraft paraissait dans un magazine de science-fiction et Hugo Gernsback présenta sa nouvelle en ces termes : "…Ce récit est littérairement parlant un des plus beaux que nous ayons eu la chance de lire. Le thème en est original et suffisamment extraordinaire pour le faire dépasser de la tête et des épaules bien des histoires de scientifiction contemporaines. Vous ne regretterez pas d'avoir lu cette magnifique nouvelle." »[41] Dans la même veine, notons que Clark Ashton Smith, l'un des rares amis de Lovecraft, publia deux récits dans **Wonder Stories** : « City of the Singing Flame » (juillet 1931) et sa suite, « Beyond the Singing Flame » (automne 1931 de **Wonder Stories Quaterly**).

Dr David H. Keller – docteur en neuropsychiatrie ; idéologie réactionnaire, ultra-conservatrice et foncièrement raciste véhiculée dans des récits qui remportaient pourtant un certain succès dans les courriers des lecteurs. Première publication dans un *pulp* dans **Amazing Stories** (février 1928) : « The Revolt of the Pedestrian ». Publie ensuite régulièrement dans ce même magazine (douze nouvelles au total) ainsi que, plus tard, dans **Science Wonder Stories** (deux nouvelles), **Air Wonder Stories** (une nouvelle qui fit la couverture du premier numéro) et **Wonder Stories** (trois nouvelles).

Edward Elmer "Doc" Smith – Ingénieur chimiste, auteur des séries *Skylark* et *Lensmen* ; première publication : **The Skylark of Space**, le premier roman de la série *Skylark*, dans **Amazing Stories** de septembre et octobre 1928.

Jack Williamson (John Stewart Williamson) – première publication dans **Amazing Stories** de décembre 1928 : « The Metal Man ». Il est la principale inspiration d'Isaac Asimov, à ses débuts.

John Campbell Jr. – Celui-là même qui deviendra en 1938 rédacteur en chef de la revue **Astounding Science-Fiction**, le principal concurrent d'**Amazing Stories** et qui lancera, sous sa gouverne, la science-fiction dans son Âge d'Or, publie ironiquement sa toute première nouvelle dans **Amazing Stories** : « When the Atoms Failed » (janvier 1930). Il publiera ensuite cinq autres nouvelles, entre 1930 et 1932, dans ce *pulp* fondateur.

Isaac Asimov – Même s'il publiera par la suite l'immense majorité de ses nouvelles dans **Astounding Science Fiction** (et ce dès 1941), c'est dans **Amazing Stories** qu'Isaac Asimov, docteur en biochimie, publie sa première nouvelle : « Marooned off Vesta », dans le numéro de mars 1939. C'était son troisième récit écrit ; ironiquement, il avait auparavant essuyé des refus de la part d'**Astounding** (John W. Campbell Jr avait refusé, en juin 1938, sa nouvelle « Cosmic Corkscrew », mais l'avait encouragé à continuer d'écrire – ce qui sera payant, puisque Asimov publiera exclusivement dans le *pulp* de ce dernier pour toute la période de 1943-1949).

Roger Zelazny – Avait déjà publié dans des fanzines avant que sa première nouvelle "professionnelle", « Passion Play », paraisse dans le numéro d'août 1962 d'**Amazing Stories.**

Ursula K. Le Guin – Publie sa première nouvelle de fantasy « Dowry of the Angyar » en 1964 dans **Amazing Stories.**

ANNEXE 3
Sommaire d'**Amazing Stories** de septembre 1929

« The Red Peril » du Cpt. S. P. Meek – Récit militariste, réactionnaire, à l'intrigue rapide où l'URSS envahit le monde à l'aide de quatre vaisseaux indestructibles qui répandent un virus mortel sur les grandes villes du globe. *Happy end* avec le communisme mort à jamais (!?).

« The Young Old Men » de Earl L. Bell – Récit qui n'appartient pas à la science-fiction ; relève plutôt d'un fantastique proche de l'école lovecraftienne. Met en scène le manuscrit mis en abyme d'un personnage immortel, dont la longévité a été conférée par Roger Bacon lui-même en 1267. Très bon récit, bien écrit.

« Gold Dust and Star Dust » de Cyril G. Wates – Met en scène un protagoniste qui est une sorte de croisement entre un Sherlock Holmes et un savant fou : il résout une énigme concernant la disparition d'un chargement d'or, qui se trouve à avoir voyagé dans la quatrième dimension, qui est ici spatiale et non temporelle. La description vulgarisée de la perception d'une quatrième dimension spatiale est exacte, bien que reposant sur des prémisses rendues caduques par Einstein douze ans plus tôt.

« The Coral Experiment » de Alexander Snyder – Robinsonnade dénuée de toute science-fiction ou fantasy et qui porte sur un dentiste qui s'exile sur un atoll complètement désert pour expérimenter sur des plombages fait de coraux. Bien que généralement infantile et sans grand intérêt, la chute du récit (ça finit mal) en relève quelque peu la substance.

« The White Army » du Dr Daniel Dressler – Récit assez intéressant, bien écrit et très documenté ; toutefois le texte, débarrassé de toute forme de prospective, relève de la pure fiction scientifique ; le protagoniste, Leucon, étant un simple globule blanc évoluant dans le corps d'un humain.

« The Dog's Sixth Sense » de W. Alexander – À la limite entre le fantastique et la science-fiction. Plutôt médiocre, ce court récit nous convie à la transplantation d'un œil de chien sur un humain et qui confère à ce dernier des dons de télépathie.

« Out of the Void », de Leslie F. Stone – Cette seconde partie d'un space opera de l'école d'Edgar Rice Burroughs concerne les aventures d'un couple d'humains qui s'est écrasé sur la planète Abrui, qui serait la dixième planète du système solaire, autour de laquelle tourne une lune qui est un second soleil (!), une sorte de mini-soleil, et qui est habitée par une civilisation quelque peu fasciste aux castes sociales rigides, où la couleur de la peau confère le statut social (argent, aristocratie ; or, esclave ; bronze, barbare). Le récit décrit cette société baroque et colorée, où la science, comme dans tout bon *space opera*, devient accessoire et relevant davantage d'une forme de pseudo-science foncièrement erronée. Le récit se termine sur un *happy end* partiel : les esclaves sont émancipés, mais le couple de héros ne peut revenir sur Terre. En somme, un bon *space opera*, qui fait dire à Jacques Sadoul : « Le seul texte de quelque intérêt qui parut jusqu'à la fin de 1929 fut probablement le *space opera* de Leslie F. Stone, « Out of the Void », publié dans les numéros d'août et de septembre. (...) Un récit d'aventures assez banal mais qui se laisse lire sans ennui. »[42]

Notes
1. Jacques Sadoul, **Histoire de la science-fiction moderne**, Paris, Albin Michel, 1973 et Jacques Van Herp, **Panorama de la science-fiction**, Bruxelles, Claude Lefrancq, 1996.

2. On entend par "science-fiction moderne" une science-fiction, entendue comme genre, déjà inscrite dans une tradition littéraire – et conséquemment ayant ses propres précurseurs – dont les codes, issus de tropes et topoï narratifs récurrents, se sont cristallisés en conventions de genre que reconnaît aisément l'*aficionado*.

3. Franz Rottensteiner, **La Science-fiction illustrée : Une histoire de la S.F.**, Paris, Seuil, 1975, p. 42.

4. Wikipedia, sous « experimenter publishing », en.wikipedia.org/wiki/Experimenter_Publishing_bankruptcy, consulté le 26-11-2008. Traduction libre.

5. www.magazineart.org/publishers/gernsback.html, consulté le 26-11-2008

6. En janvier 1914, la revue est fusionnée avec **Electrician & Mechanics**, et prend le nom de **Modern Electrics and Mechanics**. Celle-ci ne publiera que cinq numéros, et s'éteindra, après une interruption en mai, en juin 1914.

7. Jacques Sadoul, **Histoire de la science-fiction moderne**, Paris, Albin Michel, 1973, p. 30. Au sujet du « téléphot », notons que la couverture du numéro d'avril 1911 en montrait une représentation. Cette couverture est reproduite dans l'annexe E : Reproductions de couvertures de **Modern Electrics** et **Amazing Stories**

8. Jacques Van Herp, **Panorama de la science-fiction**, Bruxelles, Claude Lefrancq, 1996, p. 384.

9. Ibid., p. 78.

10. Littéralement : "romans à dix sous" ; mais en français l'appellation "romans à quatre sous" demeure plus généralisée.

11. Jacques Sadoul, **Histoire de la science-fiction moderne**, p. 59.

12. Denis Guiot, **La Science-fiction**, Paris, M. A. (Le Monde de...), 1987, p. 100.

13. Ibid., p. 152.

14. Hugo Gernsback cité par Igor et Grichka Bogdanoff, **La Science-fiction**, Paris, Seghers (Clefs), 1976, p. 21.

15. Hugo Gernsback cité par Sadoul, p. 60. Notons que le terme "scientifiction" apparaissait sur la tranche de couverture du magazine.

16. Denis Guiot, **La Science-fiction**, p. 100.

17. Igor et Grichka Bogdanoff, **L'Effet science-fiction : À la recherche d'une définition**, Paris, Robert Laffont, 1979.

18. Igor et Grichka Bogdanoff, **La Science-fiction**, p. 11.

19. Stan Barets, **Le Science-fictionnaire T. 2**, Paris, Denoël (Présence du futur), 1994, p. 222.

20. Jacques Sadoul, **Histoire de la science-fiction moderne**, p. 59.
21. Ibid., p. 66.
22. Jacques Van Herp, **Panorama de la science-fiction**, p. 80.
23. Jacques Sadoul, **Histoire de la science-fiction moderne**, p. 61-62.
24. Ibid., p. 67.
25. Wikipedia, sous « experimenter publishing », en.wikipedia.org/wiki/
    Experimenter_Publishing_bankruptcy, consulté le 26-11-2008. Traduction
    libre. Je souligne. Le texte de Wikipedia donne la source suivante par rap-
    port aux nombres avancés : « Business Records, Bankruptcy Proceedings »,
    The New York Times (March 12 th, 1929) p. 53. Il fut impossible d'en
    vérifier la référence.
26. T. O'Conor Sloane, « The Editor and the Reader », in **Amazing Stories**,
    vol. 4 no. 6, septembre 1929, p. 485. Traduction libre.
27. Stan Barets, **Le Science-fictionnaire T. 2**, p. 218.
28. Jacques Van Herp, **Panorama de la science-fiction**, p. 80.
29. Ibid., p. 479.
30. Stan Barets, **Le Science-fictionnaire T. 2**, p. 239.
31. Ibid., p. 239.
32. Jacques Van Herp, **Panorama de la science-fiction**, p. 477.
33. Igor et Grichka Bogdanoff, **La Science-fiction**, p. 86.
34. À ne pas confondre avec William S. Burroughs, l'auteur de **The Naked
    lunch.**
35. Jacques Van Herp, **Panorama de la science-fiction**, p. 79.
36. Igor et Grichka Bogdanoff, **La Science-fiction,** p. 84.
37. Ibid., p. 84-8.
38. Jacques Sadoul, **Histoire de la science-fiction moderne**, p. 66.
39. Franz Rottensteiner, **La Science-fiction illustrée**, p. 55.
40. La revue, encore publiée à ce jour, changea souvent de nom : **Astounding
    Stories** (1931) ; **Astounding Science Fiction** (mars 1938) ; **Analog Fact
    and Science Fiction** (février 1960).
41. Jacques Sadoul, **Histoire de la science-fiction moderne**, p. 63.
42. Ibid., p. 68.

Diplômé en chimie analytique, Marc Ross Gaudreault a
néanmoins, après quelques années de pratique, réorienté
sa carrière vers les études littéraires où il s'est spécialisé
dans les genres de l'imaginaire et leurs liens théoriques
avec la science. Doté d'une maîtrise en études littéraires,
son mémoire s'intitule : « Une ontologie de l'espace-temps
ou l'abîme temporel du *Cycle de Dune* : de la prescience à
la mémoire génétique ». Sa thèse de doctorat, dirigée à
l'UQAM par M. Jean-François Chassay, a pour objet les
effets littéraires des distorsions spatio-temporelles dans le
fantastique et la science-fiction – le tout selon une approche épistémocritique.

Les Trésors de Babel

par Mario TESSIER

Suzanne Morel

Tout flivoreux allaient les borogoves
Les verchons fourgus bourniflaient.
Lewis Carrol, **De l'autre côté du miroir** (1871)

Depuis des siècles, les écrivains se plaisent à inventer de nouveaux langages dans le but de nous divertir, de nous étonner, de nous amuser, ou de nous faire réfléchir sur les embûches de la communication. C'est surtout vrai en science-fiction où les auteurs ont su mettre sur pied toutes sortes de constructions langagières, que ce soit les idiomes planifiés de la planète Pao de Jack Vance, les langues enchâssées d'Ian Watson, la Novlangue de George Orwell ou les sonorités étranges des Na'vi de la planète Pandore.

Mais les auteurs de SF ne sont pas les seuls à s'être attaqués aux problèmes du langage. D'autres, bien avant eux, se sont penchés sur ses perversions secrètes, ses innombrables tics et ses potentialités cachées. De nombreuses tentatives de langues artificielles, toutes bien réelles, celles-là, montrent qu'elles furent, tout comme la science-fiction, le véhicule chimériques de mondes faussement perfectibles ou la projection fantastique d'espoirs aussi utopiques que vains. D'autres cas présentent les échos et fantasmes d'appétits culturels insatisfaits, ou de jeux littéraires sophistiqués, tels les mots-valises inventés de l'exergue. D'autres enfin, se veulent de réels laboratoires sociaux où diverses expériences sont tentées afin de résoudre des problèmes concrets de communication.

Langues artificielles, inventées, fictives, imaginaires : toutes se distinguent des langues naturelles en ce sens qu'elles ont d'abord été construites par quelqu'un désirant faire mieux ou différent. Certains de ces langages, comme les langues fictives ou imaginaires abordées dans les œuvres de fiction, n'offrent qu'un aperçu potentiel de ce qu'elles recèlent, tandis que d'autres, tels le Sindarin et le Láadan, disposent de vocabulaires et de règles syntaxiques plus élaborées.

Petit historique des langues imaginaires

Déjà, dès l'antiquité classique, le problème des langues imaginaires se présente à la porte de la littérature et la philosophie. Aristophane, dans ses pièces de théâtre **Les Grenouilles** (405 av. J.-C.) et **Les Oiseaux** (414 av. J.-C.), invente de façon satirique des langages animaux ; celui des grenouilles, « brekekekex coax coax », et celui des oiseaux, « Epopopopopopopopopopoï !... Torotoro-torotorotix. Kikkabau... ».

Le **Cratyle** (vers 360 av. J.-C.) de
Platon discute de l'origine de la langue et examine la nature des mots pour s'interroger s'il s'agit de caractéristiques naturelles ou arbitraires. Notons que si Cratyle a raison, et que le nom n'est rien d'autre que la propriété naturelle de la chose, il s'ensuit que cette théorie naturaliste du langage peut donner naissance à un langage universel... une fiction que poursuivra un grand nombre de visionnaires vingt siècles plus tard !

Certains commentateurs parlent d'Alexarque, fils d'un des généraux d'Alexandre le Grand, qui fonda en 315 av. J.-C. la ville d'Ouranopolis, sorte de cité du monde idéal, pour laquelle il inventa une forme de « parler particulier »[1].

Notons que Marcus Tullius Tiron (104-4 av. J.-C.), l'esclave affranchi de Cicéron, fut le premier à nous laisser un système pour prendre en notes les propos tenus lors des discours, des disputes ou des jugements. Cette *tachygraphie*, ou mode d'écriture rapide basé sur les abréviations – qui donnera naissance à la sténographie beaucoup plus tard – fut sans doute le premier langage international. En effet, certaines de ses abréviations, telle la perluète (&), sont encore utilisées aujourd'hui !

Typologie des langues imaginaires

Quelques essais de taxonomie existent déjà pour classifier la diversité des inventions langagières. Certains font une importante distinction entre langues sacrées et profanes, qui me semble plutôt incongrue, tandis que d'autres examinent les langues sous leurs traits *a priori* ou *a posteriori*, notamment dans l'**Histoire de la langue universelle** de Louis Couturat et Léopold Léau.

La typologie que j'expose ici est inspirée du classement thématique des idéolangues (tinyurl.com/268cuvb) et du schéma analytique des langues imaginaires se trouvant dans le **Dictionnaire des langues imaginaires** de Paolo Albani et Berlinghiero Buonarroti. Je donne aussi quelques exemples, dont vous pardonnerez la brièveté.

1. Langue auxiliaire : créée dans le but de faciliter la communication entre peuples de langues et de cultures différentes.

    1.1. Langue véhiculaire : certaines langues internationales servant de moyen de communication entre populations de langues différentes telles que l'anglais, le français, l'allemand, etc.

    1.2. Langues *a posteriori* : Espéranto, Ido, Occidental, Universal glot, etc.

    1.3. Langues *a priori* : Kotava.

        1.3.1. Pasigraphies : système de notation universel comme le Bliss.

        1.3.2. Pasilalies : pasigraphies parlées telle que le Solrésol.

    1.4. Langues mixtes : Volapük.

    1.5. Langue hybride ou pidgin : le globish (un anglais simplifié), le créole haïtien.

2. Langue artistique : créée pour servir des créations artistiques.

    2.1. Langue créée pour le théâtre : le Grammelot (une forme de baragouin satirique utilisé en pantomime), l'Orghast (en référence à une pièce du même nom dirigée par Peter Brook), le langage des masques.

    2.2. Langue créée pour le cinéma : le Klingon (**Star Trek**), le Na'vi (**Avatar**), le Pakuni (**Land of the Lost**).

    2.3. Langue pour la poésie : les langues de Stefan George, de Giovanni Pascoli, le paralloïdre d'André Martel.

    2.4. Langue dans la bande dessinée : le Syldave (**Tintin**), le Schtroumpf !

    2.5. Langue dans les arts visuels : les alphabets imaginaires dans la peinture, la contre-écriture.

    2.6. Langue dans la littérature d'imagination : le Quenya et le Sindarin de Tolkien, le Barsoomien d'Edgar Rice Burroughs, la Novlangue de George Orwell, etc.

Vers 192 ap. J-C., Athénée de Naucratis, dans **Les Deipno-sophistes** (ou le Banquet des Sophistes, ou des Savants) discutera du langage gestuel et fera une classification particulière des gestes ; ce que Quintilien (Ier siècle) appelait le « discours commun à tous hommes. »

Claude Galien (129-200 ap. J.-C.), médecin et philosophe, avait conçu, d'après l'**Histoire naturelle** de Pison, le projet d'un système

2.7. Langue créée pour la musique : le scat, le jive.
3. Langue ludique : créée sans but particulier, juste pour le plaisir de créer.
 3.1. Langues inventées par les enfants : le Markuska.
 3.2. Langages inventés par des fous littéraires : l'Oulipo, Raymond Queneau, André Blavier, Jean-Pierre Brisset, le dada, le lettrisme, les mots en liberté.
4. Langue expérimentale.
 4.1. Langue euphonique ou musicale : créée dans le but de répondre à des besoins phonologiques (musiques, chants, incantations).
 4.2. Langue minimaliste : ayant pour objet de réduire au minimum les éléments de la langue, telle la Ilaksh (un peu comme le Speedtalk de Heinlein).
 4.3. Langue d'anticipation : dont on anticipe l'évolution et dont on prévoit l'apparence.
 4.4. Langue logique : le Lojban, et divers langages de programmation tels le Common Lisp ou le Pascal.
 4.5. Langue propédeutique : langage expérimental permettant l'apprentissage indirect de sciences ou d'éléments sous-jacents, comme le Logo en informatique.
5. Langue pratique : ayant une fonction utilitaire, afin de répondre à un besoin particulier.
 5.1. Langue philosophique : diverses langues créées *a priori* comme le Mirad.
 5.2. Jargon : scientifique, technique, etc.
 5.3. Langue abrégée : sténographie, sténotypie, abjad (alphabet ne notant que des consonnes).
 5.4. Langages par signaux : le morse, la télégraphie optique de Claude Chappe.
 5.5. Langages gestuels : le Tadoma (pour les sourds et aveugles, utilisation des doigts sur le visage).
 5.6. Langages idéographiques : le braille.
 5.6. Langages cryptographiques : tels que les codes militaires.
6. Langue simulée et pseudolangue : langage non élaboré et spontané cherchant à simuler une langue (charabia divers).
 6.1. Langues inventées par des médiums : Hélène Smith et son langage martien.
 6.2. Langues inventées par des aliénés : les inventions langagières de Samuel Daiber.

de signes qui ne pouvait être
sujet à aucune incertitude,
de manière à « enlever aux
hommes l'occasion de la
dispute et de la calomnie. »

Mais la première langue
artificielle a été construite
en plein Moyen-Âge par
Hildegarde de Bingen. Cette

abbesse du XIIe siècle élabora une langue écrite et parlée par elle
seule, la *Lingua Ignota* (en latin : langue inconnue). Les manuscrits
qui nous sont parvenus montrent un glossaire de 1 011 mots, tirés
du latin et de l'allemand, surtout des noms et quelques adjectifs ; le
langage semble substituer ce nouveau vocabulaire dans la grammaire
existante du latin. On ignore à quelles fins cette mystique vouait son
langage ; s'agissait-il d'une nouvelle langue universelle, d'une langue
divine dans laquelle elle communiait avec le Seigneur, ou tout simplement d'une langue secrète pour elle et ses condisciples ?

Du XVIe au XIXe siècle, un nombre croissant de langues artificielles et imaginaires apparaîtra dans la littérature philosophique et
dans les œuvres de fiction. En effet, les échanges croissants à l'intérieur du continent européen, et de sa profusion de langages et de patois,
ainsi que la découverte des nouveaux mondes et ses étranges dialectes,
poussent les philosophes à imaginer des modes de communication
qui se voudront communs à tous les peuples.

Ainsi, le premier langage universel voit
le jour sous la plume de Francis Lodwick
dans **A Common Writing** (1647) et dans
**The Ground-Work, Or Foundation Laid,
(or so intended) For the Framing of a
New Perfect Language** (1652). D'autres
tentatives de mettre sur pied des langages
mondiaux suivront avec le **Logopandec-
teision** de Sir Thomas Urquhart (1652),
l'**Ars signorum** de George Dalgarno (1661),
l'**Essay towards a Real Character, and a
Philosophical Language** de John Wilkins
(1668), et la *Lingua Generalis*, basée sur
les calculs binaires, de Leibniz (1678).

Il s'agit là de langages *a priori*, c'est-à-dire inventés selon des
principes logiques, souvent avec des prétentions de perfection absolue
découlant de préceptes philosophiques ou mathématiques, ou de
vérité révélée, plutôt que de véritables outils langagiers tentant de
satisfaire aux besoins pragmatiques de communication internationale.

Il faut les distinguer des langages *a posteriori*, construits à partir des langues existantes, mais qui tentent de simplifier ou de faciliter certaines structures, et que l'on verra apparaître surtout vers la fin du XIXe siècle, sous la forme de *langages auxiliaires internationaux*.

Précisons que ces langues philosophiques, ou idéales, furent populaires au début des temps modernes parce que les philosophes cherchaient encore à redécouvrir le langage adamique ou pré-babellien; une obsession médiévale poursuivie dorénavant avec des outils modernes.

Tous ces projets visaient à réduire et à parfaire la grammaire mais, sous une autre forme, visaient également à arranger le savoir humain en hiérarchies. Cette idée devait mener les Encyclopédistes des Lumières à tenter la même chose. Bien qu'eux aussi s'efforcèrent de réduire l'ensemble des connaissances sous la forme d'un classement arborescent, ils s'aperçurent qu'il était utopique de construire un langage idéal basé sur une telle classification de concepts. D'Alembert critiquera d'ailleurs sévèrement les langages philosophiques du siècle précédent. Toutefois, les Encyclopédistes restèrent divisés sur la question; au moins un Encyclopédiste, Nicolas Beauzée, réaffirmera l'espoir d'une réalisation pratique d'une langue universelle et proposera le latin comme langue internationale tandis qu'un autre, Joachim Faiguet, proposera un projet de langue nouvelle.

(Notons que l'usage de l'ancien akkadien, du grec attique, du latin, du français – le langage diplomatique du Grand Siècle jusqu'à l'entre-deux-guerres[2] –, et maintenant de l'anglais, témoigne de la grandeur passée et de la vigueur des civilisations qui ont donné naissance à ces langues.)

Après l'Encyclopédie, les projets de langues philosophiques devinrent de plus en plus rares. Mais, encore aujourd'hui, au XXIe siècle, il y a des langues artificielles, construites *a priori*, telles que le Mirad (1965), l'Ithkuil (2004, www.ithkuil.net/) et l'Arahau (2006, sites.google.com/site/rbardalzo/arahau), bien que l'on se soit désormais éloigné des essais de schémas taxonomiques des premières langues idéales.

Toutefois, la tentation d'un langage universel se faisait toujours sentir. Si elle ne pouvait aboutir sous la forme d'une langue idéale ou parfaite, on pouvait tout de même utiliser les langues existantes et tenter de les perfectionner en leur donnant une meilleure structure. C'est ainsi qu'on vit fleurir au XIXe et au XXe siècles une floraison de *langues auxiliaires internationales*. L'idée d'une langue internationale neutre, au service de la paix et du rapprochement des peuples, préoccupait tellement les Européens de la Belle Époque que la première réalisation du genre, le Volapük, connut un succès rapide, faisant en quelques années, plus de cent mille adeptes en Europe et en Amérique.

Le processus de mondialisation de la planète tendait déjà à normaliser et à standardiser les pratiques commerciales et les marchandises. Par exemple, c'est à cette époque que l'on dut s'entendre sur les horaires des trains – et leurs corollaires, les fuseaux horaires (1876) –, un système de mesures internationales avec le Bureau international des poids et mesures (1875), l'internationalisation du canal de Suez (1880), l'invention des chèques de voyage (1891), la convention de Bruxelles sur le régime des sucres (1902), et tutti quanti. (**Le Tour du monde en quatre-vingts jours** de Jules Verne date d'ailleurs de 1872.) La langue commune n'était qu'une de ces nombreuses commodités offertes aux commis voyageurs des temps nouveaux.

En 1887, il existait dans le monde 138 associations de volapükistes et 11 périodiques consacrés au volapük. Deux ans plus tard, le nombre de clubs était passé à 283, le nombre de revues à 25, et on dénombrait 316 méthodes de volapük en 25 langues ! On pouvait estimer alors que plus de 200 000 personnes avaient étudié le volapük.

Ironiquement, c'est lorsqu'on tenta d'organiser un congrès en volapük que l'expérience montra ses limites. En effet, entre 1884 et 1887, lorsque les volapükistes tinrent leurs premières réunions internationales, ils durent faire face à la pénible réalité : le Volapük[3] était difficile à parler correctement et presque impossible à assimiler, non seulement à cause de sa grammaire, relativement complexe malgré sa régularité, mais surtout à cause du vocabulaire, dont la déformation arbitraire des mots d'origine était trop proche des langues originelles qui lui avaient donné naissance.

Bien que diverses tentatives de réformes tentèrent de résoudre les problèmes structurels de la langue, ils ne firent que multiplier les dialectes de ce qui se devait être à l'origine une langue universelle. On vit ainsi le Volapük se diviser en plusieurs branches concurrentes : le Dilpok, le Nuvo-Volapük, le Balta, le Spelin, le Veltparl, l'Idiom Neutral, etc. Découragés par les conflits internes, la plupart de volapükistes adoptèrent plutôt un autre concurrent, celui-là beaucoup plus sérieux, l'Espéranto.

L'Espéranto[4] (www.esperanto.ca/fr/) est né en 1887, sous la férule de Ludwik Lejzer Zamenhof, qui tentait ainsi de faciliter la communication entre personnes de langues différentes, à travers le monde entier. Cette *Lingvo Internacia* (ou langue internationale) est aujourd'hui le seul projet de langue auxiliaire internationale qui soit connu du grand public. Il est le mode de communication d'une communauté estimée entre 100 000 à 10 millions de locuteurs, présents dans 115 pays du monde. (Elle a donc plus de locuteurs que le Klingon... qu'on se le dise une fois pour toutes !) D'ailleurs, elle figure souvent parmi l'une des langues disponibles dans lesquelles on peut lire les articles de l'encyclopédie en ligne Wikipédia.

La grammaire espérantiste est fondée sur seize règles fondamentales sans exception. Par sa structure, qui procède par enchaînement d'éléments de base invariables, c'est une langue globalement agglutinante. Par son vocabulaire, c'est une langue construite *a posteriori*, c'est-à-dire que ses bases sont tirées de langues préexistantes (essentiellement indo-européennes) ; les mots en dérivent ensuite par l'emploi d'affixes et par composition.

L'Espéranto a également donné naissance à d'autres idiomes, tels que le Riisme, une modification non-sexiste et facilitante, et surtout l'Ido (1907), basé sur une réforme de l'alphabet accentué et du vocabulaire international (www.ido-france.org/). À son tour, l'Ido a engendré d'autres sabirs : le Dutalingue (dès l'année suivante), le Romanizat (1909), l'Italico (1909), l'Etem (1917), le Medial (1923), l'Aliq (1930), le Sintesal (1931), Mondal (1949), Kosmolinguo (1956), etc.

D'autres langues auxiliaires internationales ont suivi, généralement construites à partir d'une famille de langues apparentées ; ainsi le bon vieux latin donna naissance au Latino sine flexione, au Perfect Lingua, au Semi-latin, au Simplo, au Novi latine, au Nov latin logui, au Latinulus, à l'Unilingue, au Mondi lingua, au Latino viventi, au Panlingua... et cætera ! Et la liste n'est pas exhaustive. L'anglais inspirera divers *pidgins* tels que le Basic English, le Master Language, etc. ; l'allemand inspirera le Weltdeutsch ; les langues scandinaves feront naître le Panslava et le Slavina ; même les langues africaines, d'origine bantoue, inspireront un projet de langue internationale telle que l'Afrihili. Mais n'oublions surtout pas le français qui donnera naissance à des projets tels que l'Anglo-Franca (1889), le Francezin (1893), et le Patoiglob[5] (1898). C'est ainsi que l'on enregistrera jusqu'à 360 projets de langue internationale.

Notons que certains langages construits sont devenus des langues auxiliaires d'État comme le norvégien, l'allemand standard (conséquence de l'invasion napoléonienne et, plus tard, de l'établissement de l'empire allemand de 1871), l'indonésien (une adaptation du malais), ou la langue israélienne, qui comporte une certaine part de ré-invention moderne de l'hébreu ancien.

Fictions langagières et langues de fiction

Au XXe siècle, les langues fictives et artistiques prendront de plus en plus le pas sur les langages philosophiques ou auxiliaires. De nouvelles langues de synthèse sont toujours créées, par exemple,

avec le Kotava (1978, www.kotava.org/) et l'Uropi (1983, uropi.
free.fr/), mais ce sont dorénavant les langues imaginaires présentées
dans les médias de masse qui captent l'imaginaire, par exemple
avec le Klingon (www.kli.org/) ou le Na'vi (www.learnnavi.org/)
des autochtones de la planète Pandora dans le film **Avatar** (2009).

L'histoire des langues fictives est d'ailleurs aussi ancienne que
les constructions philosophiques qui ont donné naissance aux essais
de langues utopiques. Par exemple, Jean de Mandeville (env. 1372)
rédigea un fabuleux récit de voyages que l'on soupçonne avoir été
inventé en grande partie, y compris son douteux vocabulaire de
mots pseudo-arabes.

En 1516, Thomas More imagine l'Utopien, la langue des habitants
de son monde imaginaire. Ce langage « utopique » a son propre
alphabet, aux lettres vaguement géométriques, et s'inspire largement
du latin dans sa grammaire et sa morphologie.

Savinien de Cyrano de Bergerac, quant à lui, raconte dans son
Histoire comique des États et Empire du Soleil (1656), comment
son protagoniste rencontre, sur le Soleil, un personnage parlant
encore la langue de Nature, langue parfaite, parlée par le premier
homme, exprimant le Vrai et permettant de communiquer avec les
animaux ; cette fameuse langue édénique, dont la recherche fut la
pierre philosophale des philologues de l'Ancien monde. Sur la
Lune, son héros découvre deux types de langage, tous deux sans
parole. D'une part, celui des aristocrates est semblable à de la musique, au point qu'une discussion peut se poursuivre par l'usage des
instruments, et dans lequel cas une controverse théologique peut
agréablement aboutir à un concert. (Notons qu'une langue réelle,
entièrement musicale, fut développée au XIXe siècle par François
Sudre, le Solrésol ; un autre exemple de la réalité dépassant la fiction.)
D'autre part, le langage du peuple s'exerce par « des trémoussements
des membres [...] certaines parties du corps signifiant un discours
entier ». Savinien entrouvre une porte sur certains types de langages
théoriques autant qu'il satirise son temps et
les manies de ses contemporains à travers
ses voyages imaginaires.

Parlant de voyages imaginaires, Jonathan
Swift dans **Les Voyages de Gulliver** (1726),
raconte les difficultés bien réelles de communication avec d'autres peuples ; une réalité omniprésente dans une Europe encore
cacophonique de patois régionaux et de
langues pas encore tout à fait nationales.
Ce qui n'empêchait pas Swift d'être poly-
glotte, comme son prodigieux héros, lequel

prouvera au fil de ses périples littéraires qu'il est un linguiste hors pair!

Outre les aperçus de langues fictives et souvent imprononçables (*Ickpling Gloffthrobb Squutserumm blhiop Mlashnalt Zwin tnodbalkguffh Slhiophad Gurdlubh Asht*; dans la langue de l'île de Luggnagg), signalons deux de ses inventions les plus intéressantes dans l'île flottante de Laputa. La première est une variation de l'art combinatoire de Raymond Lulle, et de ses roues pivotantes, de même qu'une brillante anticipation de la « Bibliothèque de Babel » de Borges. En effet, il nous montre une machine d'imprimerie, composant des mots au hasard, et formant d'éventuelles phrases, lesquelles sont alors notées par des secrétaires dans de nombreux volumes in-folio. Ce charabia est précieusement conservé dans l'espoir que le résultat sera un jour exploitable. Sa seconde découverte est celle de la tentative de perfectionner la langue du pays pour en faire une langue universelle. On tente d'abord de supprimer les verbes, les particules, les adjectifs, puis tous les mots en général. Les mots n'étant que les noms des choses, on n'avait qu'à montrer les choses usuelles avec lesquels on voulait communiquer. La langue parfaite devient alors pantomime aussi grotesque que silencieuse.

Voltaire et Restif de la Bretonne se sont également servi des langues imaginaires pour illustrer les travers de leurs contemporains. Par exemple, ce dernier invente le Mégapatagonais, une langue palindrome, parlée dans la capitale de cet état imaginaire, Sirap, située aux antipodes de Paris : « Li y a puocuaeb tirpse'd snad ettec noitnevni! te elle ennod enu etuah noinipo ed sec Sregnarté! » (traduction : Il y a beaucoup d'esprit dans cette invention; et elle donne une haute opinion de ces Étrangers).

Au XXe siècle, la science-fiction a donné naissance à de nombreuses langues fictives, dont le Barsoomien (gotomars.free.fr/jclex.html) fut l'une des premières. Elle fut la création d'Edgar Rice Burroughs, à qui l'on doit également la langue des grands singes et qu'apprit le jeune Tarzan. On oublie aujourd'hui que les aventures de John Carter sur Mars furent extrêmement populaires aux États-Unis. Mais surtout que **La Princesse de Mars** (1912) fut sans doute la première œuvre de fiction mettant en scène un langage inventé. Bien que le Barsoomien ne fût guère développé, il ajoutait au récit un zeste de vraisemblance qui manquait à d'autres histoires du même genre.

Mais l'œuvre maîtresse en ce qui concerne les langues inventées demeure celle de J.R.R. Tolkien. Philologue de profession, spécialiste du vieux anglo-saxon, il s'amusera toute sa vie à construire des langues fictives – ce qu'il nomme son *vice secret* –, et s'ingéniera ensuite à imaginer des récits pour les mettre en scène. Au contraire des écrivains de fiction qui inventent des mondes étranges, des intrigues et des personnages, et seulement ensuite, cherchent à donner de la vraisemblance à leurs histoires en les dotant d'une langue imaginaire, Tolkien inverse le processus, parce que ce qui l'intéresse c'est la beauté du mot. Ainsi, il affirme dans l'une de ses lettres que : « L'invention des langages est la fondation. Les histoires ont été conçues pour procurer un monde aux langues, plutôt que l'inverse. Chez moi, le nom vient en premier, et l'histoire suit… [Le Seigneur des Anneaux] est à mes yeux, en tout cas, en grande partie un essai en esthétique linguistique » (lettre no. 165)[7].

Aussi étrange que ce soit, la Terre du Milieu existe seulement parce qu'un linguiste voulait d'un endroit où l'on puisse se saluer

ENCADRÉ 2
Créez votre propre langue imaginaire

Les complexités linguistiques du français n'ont plus de secrets pour vous ; les particularités des autres langues – l'anglais en tête, bien entendu – vous laissent de glace ; le japonais et ses quatre alphabets ainsi que les clics des langues bochimanes ne vous attirent pas ; alors pourquoi, comme tant d'autres avant vous, n'inventeriez-vous pas votre propre langue ? Fondamentalement, un langage se construit autour de cinq piliers :

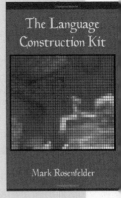

1 – Une culture de référence : ou le « worldbuilding »

Cet exercice vous permet de décrire le monde physique, la culture, et la société dans laquelle votre langue vivra. Profitez-en pour imaginer quel type de langage vous désirez : une langue *a priori* (dont se servent les habitants d'une civilisation utopique*),* *a posteriori* (pour meubler une uchronie), ou mixte… S'agit-il d'une langue qui se veut universelle comme les langues auxiliaires internationales ou s'agit-il d'un idiome expérimental, artistique, etc.

2 – Un système d'écriture : l'alphabet.

Pour exprimer votre langue, vous pouvez utiliser un alphabet existant ou créer de toutes pièces un alphabet nouveau, une *néographie*, pour exprimer les phonèmes de votre langue. Par exemple, les mondes de Star Trek utilisent des systèmes d'écriture différents et originaux pour transcrire leurs idiomes. Tolkien, quant à lui, récupère les runes celtiques pour construire ses langues elfiques. Votre écriture est-elle cursive ou bicamérale (qui oppose majuscules aux minuscules) ?

avec les mots *Elen síla lúmenn' omentielvo* (Une étoile brille sur l'heure de notre rencontre) !

D'autres écrivains, linguistes eux-mêmes ou intéressés par la chose, ont publié des ouvrages, où les problèmes liés à la traduction, notamment dans le domaine de l'exolinguistique, sont abordés : par exemple, C. J. Cherryh (qui, par ailleurs, siège à la Foundation for Endangered Languages) dans sa série de romans de *Chanur* (1981-1992) et Sheila Finch dans son recueil de nouvelles **The Guild of Xenolinguists** (2007). Suzette Haden Elgin, dans son cycle

Native Tongue, a créé un langage artificiel, spécialement conçu pour exprimer une culture féministe, le Láadan[8] (www.laadanlanguage.org/pages/).

Vous pourriez aussi fabriquer une *idéographie*, pour exprimer des idées plutôt que des sons.

3 – Un système phonologique : la prononciation.

À quoi ressemblent les sons déterminants de votre langage ? Par exemple, les Klingons éructent des sons secs, courts et cassants (sans compter les nombreux crachotements), tandis que les Na'vi parlent une langue aux sonorités vaguement polynésiennes, avec des glissements liquides et beaucoup de voyelles. C'est le moment de sélectionner les phonèmes, de décider comment sont utilisées les racines, de déterminer la morphologie des mots et la sémantique. Bref, le plus intéressant, c'est d'élaborer une *phono-esthétique* du langage, qui reflète véritablement la culture dans laquelle elle s'exprime. Les différentes langues de la Terre du Milieu en sont de magnifiques exemples.

4 – Un lexique : ou un dictionnaire

C'est généralement par cet aspect que les créateurs de langage commencent. Ils créent des mots gutturaux (comme ceux du Klingon) ou ayant des consonances latines pour bâtir un vocabulaire de base.

5 – Une grammaire : morphologie et syntaxe.

Cet aspect de votre nouveau langage peut être réservé en dernier. Il vous permettra de construire la façon dont les éléments de la phrase sont ordonnés. Ainsi, vous déterminerez comment vous servir des verbes, des adjectifs, des articles. Penchez-vous sur la conjugaison des verbes et la déclinaison des noms. Par exemple, combien y a-t-il de temps de verbe ? Est-ce une grammaire agglutinante, fusionnelle ou polysynthétique ?

Inventez votre propre langage ; c'est tellement *slictueux* !

Bibliographie : Mark Rosenfelder, **The Language Construction Kit**, Yonagu Books, 2010, 292 p.

Depuis une trentaine d'années, il n'est pas rare que les roman-
ciers fassent appel à des linguistes pour construire des langages
artificiels afin de rehausser la vérisimilitude de leur monde imaginaire. Par exemple, Harry Harrison reçut l'aide de T.A. Shippey, un
spécialiste du vieil anglo-saxon comme Tolkien, pour créer une
langue saurienne dans le cadre de son cycle d'*Eden* (1984-89). (Notons
en passant qu'Harrison est un fervent défenseur de l'Espéranto, et
que cet idiome apparaît dans plusieurs de ses ouvrages, notamment
dans sa série sur **Le Rat en acier inox**.)

De la même manière, on chargea une linguiste, Victoria Fromkin,
de produire un langage pour une espèce d'hommes préhistoriques ap-
pelés les Pakunis, dans la série télévisée **Land of the Lost** (1974-76).
D'autres langues inventées ont bénéficié du même avantage ; par
exemple, le Klingon, développé en grande partie par le linguiste
Marc Okrand en 1982, et, plus récemment, en 2009, le Na'vi, inventé
par un professeur de linguistique, Paul Frommer (voir son blogue :
naviteri.org/). Le soin avec lequel ces langues artificielles ont été
créées explique en partie pourquoi elles remportent du succès auprès
d'un public friand d'exotisme.

Depuis 1991, les aficionados des langues construites se regroupent
autour du Conlang Mailing List (listserv.brown.edu/archives/conlang
.html). Les *conlangers* (*lang*ue *con*struite) créent ce qu'on appelle
indifféremment des langues artificielles, inventées, planifiées ou
construites.

Mais, peut-on se poser la question, pourquoi voudrait-on apprendre une langue inventée ? Pourquoi des milliers d'individus
tentent-ils d'imiter une race de d'extraterrestres qui aurait sûrement
besoin d'une armée de dentistes et de cours de politesse ? Et dans la
vie de tous les jours, ai-je vraiment besoin d'apprendre comment
différencier un *palulukan* d'un *targ* ?

Peut-être, comme le protagoniste de « Schwartz et les galaxies »
de Silverberg, réalisons-nous que nous avons besoin des autres cultures, fussent-elles étrangères ou tout simplement étranges et fictives,
pour nous connaître nous-mêmes et définir les caractères de notre
propre culture. La civilisation planétaire et la langue unique sont des
concepts qui devraient demeurer utopiques ; la différence culturelle
et linguistique me semble infiniment plus désirable. Mais, bien sûr,
c'est un Québécois qui parle…

Pourquoi donc apprendre une langue inventée ? Peut-être, tout
simplement, pour s'ouvrir à de nouvelles idées, à de nouveaux concepts. En effet, l'hypothèse Sapir-Whorf nous dit que notre mode
de penser et de percevoir le monde dépend de notre langue, du
vocabulaire dont nous disposons et de la manière dont nous fabri-
quons nos phrases. (L'hypothèse Sapir-Whorf fera d'ailleurs l'objet

d'une chronique ultérieure, dans laquelle nous examinerons plus en profondeurs certaines œuvres de science-fiction dont **Babel 17**, **Les Langages de Pao**, **1984**, **Riddley Walker**, etc.). Sans doute, y a-t-il aussi l'effet d'un exotisme extravagant, qui nous pousse à s'intéresser davantage au langage d'elfes ou d'extraterrestres imaginaires, alors que nous pourrions chercher à apprendre le japonais ou le sanskrit. Mais, généralement, ces langages inventés ne font que magnifier les caractères et bizarreries propres aux langues naturelles.

Sur les chemins de Babel

Il est étrange de penser qu'à une époque de réelle menace pour la diversité linguistique, certains tentent de multiplier les idiomes existants en élaborant des langues artificielles, qui n'ont pratiquement aucune chance de durer. (En effet, sur les quelque 6 000 ou 7 000 langues parlées dans le monde aujourd'hui, plus de 2 500 langues sont en danger de disparition. Cinquante-deux pour cent des dialectes sont parlées par moins de 10 000 personnes et 28 % sont parlées par moins de 1 000 locuteurs.)

Mais, au-delà de l'homogénéisation culturelle que promet la mondialisation et de l'attirance d'un hypothétique langage universel, peut-être sommes-nous encore tiraillés par les trésors, et non par les malédictions, de Babel. La séparation des peuples et la confusion des langues ne sont plus considérées comme le récit d'une chute, mais plutôt comme la multiplication des richesses propres à l'humanité entière. Les langues imaginaires, inventées, construites, ou tout simplement fictives, ne sont, en définitive, que le chatoiement infiniment divers et bigarré des joyaux de l'esprit humain.

Mario TESSIER

Notes

1. Cet idiome ressemblait aux *kennings* (ou *kenningar*) des sagas scandinaves, dont les métaphores poétiques étaient si chères à Borges. En effet, Alexarque appelait le coq « le crieur de l'aube », le coiffeur « le rasoir mortel », la drachme « le petit argent », la chenice (une mesure agricole d'un litre de grains) « la nourriture quotidienne », etc. Sans doute, Alexarque s'inspirait-il des métaphores classiques des aèdes (ex: l'aurore aux doigts de rose, d'Homère), qui ressemblaient à des procédés mnémotechniques, alors que

le *kenningar*, au contraire, voulait éviter la répétition dans les rimes d'un poème.

2. Outre le français utilisé comme langue diplomatique, notons qu'à proprement parler la *lingua franca* (ou la *langue des francs*) fut également un pidgin de langues romanes parlé dans tout le bassin européen du Moyen Âge au XIXᵉ siècle, entre populations déplacées de toutes origines, marchands, marins, etc.

3. Handbook of Volapük : personal.southern.edu/~caviness/Volapuk/HBoV/.

4. Notons que l'Espéranto et la science-fiction ont eu ensemble une famille nombreuse. En effet, plusieurs écrivains, séduits par l'internationalisme du projet ou épris d'idéalisme, s'en sont inspirés. Par exemple, George Orwell, un socialiste allergique à toutes les dictatures, se servit de l'idéal espéranto pour inventer sa Novlangue dans **1984**. Dans sa série du **Fleuve de l'éternité**, Philip José Farmer fait adopter l'Espéranto comme langue commune des humains ressuscités. Et l'on peut entendre quelques bribes de cet idiome dans la version originale du film **Bienvenue à Gattaca**.

5. C'est Benjamin Bohin qui invente le Patoiglob pour présenter sa réforme de l'alphabet et de l'orthographe afin d'établir une langue universelle simplifiée : « On amploi le moin de letr possibl. Le patoiglob ora des dicsioner imprime par shac nasion avec les vin letr de l'alfabe latin e son prononsiasion ». Raymond Queneau, avec son Néo-français, préconisait une pareille réforme orthographique ; tentative qui revient périodiquement à la mode. Aujourd'hui, le flambeau est repris par le mouvement Ortograf (ortograf. net/).

6. Lettres de J.R.R. Tolkien ; édition et sélection de Humphrey Carpenter avec l'assistance de Christopher Tolkien ; traduit de l'anglais par Delphine Martin et Vincent Ferré, Paris, Christian Bourgois, 2005, p. 311-312.

7. Pour ceux qui voudraient en savoir davantage sur les langues elfiques et les divers langages de la Terre du Milieu, consultez le site de Tolkiendil (www.tolkiendil.com/) ainsi que l'Ardalambion (folk.uib.no/hnohf/). Notons que divers dictionnaires et études sont également parus tel que le **Dictionnaire des langues des Hobbits, des Nains, des Orques et autre créatures de la Terre du Milieu, de Numenor et d'Aman** d'Édouard Kloczko, chez Arda (Encyclopédie de la Terre du Milieu, volume 4) en 2002.

8. Le Láadan est un peu l'image inversée du Klingon, qui semble être un langage macho construit pour un gang d'adolescents bardés de cuir et de testostérone. L'auteure a créé le Láadan comme une expérience sociale, en se demandant si une langue destinée spécifiquement à la sensibilité féminine se développerait et acquerrait de nouvelles locutrices. Si l'on regarde le succès respectif de ces langues inventées, on ne peut, comme l'auteure, qu'exprimer une certaine déception.

Bibliographie

Paolo Albani et Berlinghiero Buonarroti, **Dictionnaire des langues imaginaires**, Paris, Les Belles lettres, 2001, 576 p.

Sylvain Auroux (sous la direction de), **La Linguistique fantastique**, Paris, Denoël/Ed. de l'Association freudienne, 1985, 380 p.

Tim Conley et Stephen Cain, **Encyclopedia of fictional and fantastic languages**, Westport (Conn.), Greenwood, 2006, 272 p.

Louis Couturat et Léopold Léau, **Histoire de la langue universelle**, Paris, Hachette, 1903, 576 p. Disponible à : www.archive.org/details/histoiredelalang00coutuoft.

Umberto Eco, **La Recherche de la langue parfaite dans la culture européenne**, Paris, Seuil (Faire l'Europe), 1994, 436 p.

Stéphane Mahieu, **Le Phalanstère des langages excentriques**, Paris, Ginkgo (Biloba), 2005, 158 p.

Arika Okrent, **In the Land of Invented Language: Esperanto Rock Stars, Klingon Poets, Loglan Lovers, and the Mad Dreamers Who Tried to Build A Perfect Language**, New York, Spiegel & Grau, 2009, 352 p. (inthelandofinventedlanguages.com/).

Marina Yaguello, **Les Fous du langage : des langues imaginaires et de leurs inventeurs**, Paris, Seuil, 1984, 248 p.

Marina Yaguello, **Les Langues imaginaires : mythes, utopies, fantasmes, chimères et fictions linguistiques**, Paris, Seuil, 2006, 356 p.

Webographie

International Auxiliary Languages : interlanguages.net/
Constructed Human Languages : www.quetzal.com/conlang.html
Essays on Language Design : www.eskimo.com/~ram/essays.html
Idéopédia : tinyurl.com/2ebcml2
Language Creation Society : conlang.org/

Mario Tessier est bibliothécaire-conseil. Il a écrit dans des revues scientifiques (**Astronomie-Québec, Québec-Science**). C'est aussi un invité régulier de **Solaris**, où il a publié, outre ses articles, des fictions remarquées, comme « Du clonage considéré comme un des beaux-arts », Prix Solaris 2003 (n° 146), « Poussière de diamant » (n° 151), « Le Regard du trilobite » (n° 159) et « Grains de silice » (n° 170), une nouvelle canular qui a étonné plus d'un lecteur.

Mathieu Fortin
Le Serrurier
Montréal, Coups de tête 33, 2010, 132 p.

Le Protocole Reston, précédent roman de Mathieu Fortin chez Coups de Tête, pastichait les films de zombies en proposant un collage des poncifs du genre, le tout transposé dans la ville de Trois-Rivières. Ce dernier roman s'adressait aux inconditionnels des morts-vivants. Avec **Le Serrurier**, on nous offre une histoire tout à fait différente, qui ne se réclame pas des ornières d'un genre préétabli, et qui est susceptible, à mon avis, de rejoindre un public plus large; personnellement, il m'a beaucoup plus intéressé.

Le Serrurier nous raconte l'aventure de Vincent et Rachel, dont la rencontre fortuite dans le Trois-Rivières contemporain débouche sur une passion charnelle qui ferait passer le plus débauché des satyres pour un cardinal. Cette passion dévorante, excessive, est-elle liée à une autre histoire d'amour, celle qui a eu lieu entre Fernando et Emilia dans la Florence du XVIIᵉ siècle? Profitant d'un montage alterné assez bien agencé, le lecteur assiste aux évolutions parallèles des deux histoires. Celle de Vincent et Rachel trouve un dénouement fantastique, assez intéressant, peut-être expliqué par les épisodes de sorcellerie ayant marqué l'aventure de Fernando et Cecilia. Vincent pourra-t-il comprendre et conjurer une malédiction jetée à l'origine par la famille Médicis? Au lecteur d'y voir, en dire davantage risque de déflorer le mystère qui alimente **Le Serrurier**.

Parce que le rouage essentiel de ce roman repose sur les questions que suscite en nous la superposition des deux trames. Pas de zombies ou de courses effrénées, mais un mystère qui s'ajoute goutte à goutte et qui nous intrigue assez pour lire le récit jusqu'à la fin. La prose étant très légère, on tourne les pages rapidement et ce **Serrurier** se lit en une heure, le temps d'une journée passée dans le métro, l'autobus ou la voiture…

De fait, je crois que ce roman vise une clientèle particulière: celle qui veut lire une histoire rapidement, sans se casser la tête. **Le Serrurier** pourrait satisfaire ce type de lecteur. Je crois cependant qu'il risque de laisser affamé le lecteur qui, de nature ou parce qu'il y est disposé, veut s'immerger totalement dans un autre monde. Si les scènes qui se passent dans l'Italie du XVIIᵉ siècle

sont intéressantes, j'ai éprouvé de la difficulté à me les représenter et à y croire. D'abord, les réflexions de Fernando, ainsi que les répliques d'Emilia ou des Médicis, sont entachées d'expressions contemporaines. Il me semble qu'un travail supplémentaire aurait dû être fait pour que les personnages pensent et agissent comme les individus de la Renaissance, et ce sans recourir à un vocabulaire ancien (voir, par exemple, **La Jeune fille à la perle**). Aussi, je crois que la légèreté volontaire donnée au texte a contribué à mes difficultés : la prose, dépourvue de toute lourdeur, manque à mon avis de descriptions : elles sont si rares que j'ai même été incapable de me représenter la ville de Trois-Rivières.

Enfin, je dois mentionner que le joual employé dans les passages contemporains pourrait constituer un obstacle pour certains lecteurs. Le joual ne me choque pas, mais on dirait qu'au-delà d'un certain niveau, il rend les dialogues difficiles à lire – est-ce l'emploi trop fréquent d'élisions ou de certains mots, je ne peux malheureusement le dire. Déclamés, les dialogues du **Serrurier** fonctionnent, mais leur lecture m'a été pénible et ils m'ont donné l'impression que tous les Québécois du récit étaient des attardés. C'est avec bonheur que je retrouvais les séquences se déroulant dans l'Italie de la Renaissance, beaucoup plus fluides.

Le Serrurier vaut, je crois, un petit détour pour l'originalité de son sujet de base et il reste, malgré ces choix qui pourraient rebuter le lecteur exigeant, un compagnon de lecture agréable. C'est un peu comme acheter une crème glacée un jour d'été, quand on veut combler un creux. Et j'adore la crème glacée.

Philippe-Aubert CÔTÉ

À son étage
due dans un
soirée. Vivant
Malgré cela,
dont il se sou
leur vie con
n'ét
vu

lui racontait ce
tout de faits de
. Les médecins
avaient déjà
réagissait au
agissait pas à

Lectures

Robert Charles Wilson
À travers temps
Paris, Denoël (Lunes d'encre), 2010, 370p.

« J'imagine qu'on sort tous de cette histoire avec de nouvelles conceptions du passé et de l'avenir. De ce à quoi on peut ou pas s'accrocher. »

Robert Charles Wilson n'est certainement pas un inconnu pour les lecteurs de **Solaris**. Prix Hugo et lauréat du Grand prix de l'imaginaire, cet auteur canadien d'origine américaine est l'un des grands de la science-fiction actuelle.

À travers temps est en fait son cinquième roman publié. Initialement édité en 1991, il se situe entre **Vice Versa** et **Le Vaisseau des Voyageurs**. Il était donc encore inédit en français et Denoël a eu l'excellente idée de le faire traduire pour le lectorat francophone. Je tiens déjà à signaler d'emblée qu'on est loin ici d'une publication mineure sortie afin de profiter du succès actuel de l'auteur, car il s'agit bien d'un de ses meilleurs romans. Le voyage temporel, thème central du texte, est ici amplifié pour le lecteur dans la mesure où les faits contemporains se situent en 1989.

Avril 1979. Ben Collier, voyageur temporel, subit l'attaque surprise de Billy Gargullo, soldat vêtu d'une armure dorée directement sorti de la fin du vingt et unième siècle. Il en meurt et son corps est laissé dans la remise en arrière de sa maison isolée.

1989. Tom Winter, la trentaine, vivait à Seattle quand sa femme est partie avec un autre homme. Il a commencé à boire et a perdu son travail d'ingénieur. Son frère lui offre un emploi comme vendeur de voitures à Belltower, leur ville natale, et Tom voit là une occasion de refaire sa vie, même s'il est encore meurtri par la séparation. Solitaire, il ne veut voir personne et cherche une maison éloignée dans les bois. Son agent trouve exactement ce qu'il cherche: une maison impeccable dont le propriétaire précédent a disparu et que personne n'a habitée depuis dix ans.

Tom s'installe, commence son travail de vendeur et vit une vie morne, sans projets d'avenir. L'histoire pourrait s'arrêter là, mais voilà que les assiettes sales deviennent mystérieusement propres pendant la nuit. Il commence alors à se demander s'il devient fou… Puis enquête pour découvrir que la maison est peuplée de mécaniques minuscules d'origine inconnue. Intrigué, il aura du mal à maîtriser sa peur quand elles se mettront à lui dire par le biais de rêves ou de son téléviseur : « Aidez-moi ! » Dès lors, Tom cherche des réponses et explore la maison de fond en comble, allant jusqu'à percer un mur au burin dans le sous-sol…

1962. Joyce Casella, jeune proto-hippie fauchée remplie d'idéaux, tombe sur un type bizarre dans les rues de New York. Il a l'air sympa mais raconte des choses un peu étranges et n'a pas pour autant l'air d'être fou ou sur un trip de LSD… Sa montre ne correspond à aucun modèle qu'elle connaît. Il dit s'appeler Tom Winter et ne pas trop savoir comment il est arrivé là, mais elle va découvrir que son voyage est encore plus étrange qu'elle pourrait le penser.

Tout est en place pour vous embar-quer dans l'un des meilleurs romans de Robert Charles Wilson. Les personnages sont très bien campés et rapidement attachants, l'introspection est assez pré-sente sans nuire à l'intrigue bien ficelée, qui garde un rythme soutenu.

Les thèmes chers à l'auteur sont bien présents : des personnages très humains auxquels il est facile de s'iden-tifier. Des antihéros qui découvrent comment mener et changer leur vie en dehors des normes de la société qui les entoure, et qui sont confrontés à des questions bien plus grandes qu'eux. Et bien sûr, Robert Charles Wilson inter-pelle aussi la réflexion personnelle du lecteur : que faire de la possibilité de revenir dans le passé ou d'aller dans le futur et d'y mener sa vie ? Peut-on réel-lement changer les choses ? Doit-on l'éviter ? Un jeune endoctriné rendu es-clave d'une technologie puissante peut-il écarter son passé de tueur programmé, alors même qu'il est devenu un homme mûr loin de son propre temps ?

Le croisement des époques donne une grande force et cohérence à ce ro-man, tout en assurant un suspense bien mené. L'auteur évoque aussi en filigrane une bataille à venir pour les ressources sur Terre, une vision de l'avenir qui est toujours d'actualité aujourd'hui, près de vingt ans plus tard.

Robert Charles Wilson signe ici un excellent roman, enfin accessible en français. Alors, que vous soyez déjà convertis à la prose de l'auteur ou que vous aimiez les histoires humanistes de bonne science-fiction, ou encore les voyages temporels et leurs paradoxes, ne boudez pas votre plaisir et précipitez-vous chez votre libraire préféré pour mettre la main sans tarder sur **À travers temps** !

Nathalie FAURE

Lucius Shepard
Sous des cieux étrangers
Saint-Mammès, Le Bélial', 2010, 471 p.

L'amitié entre un simple d'esprit fas-ciné par les bernacles spatiales et le surveillant d'une base spatiale en proie au délire religieux (« Bernacle Bill le Spatial ») ; un zombie haïtien créé par biotechnologies et employé pour rafler le pactole aux cartes (« Dead money ») ; un clown de cirque qui cherche à élimi-ner son père, un dangereux malfrat, sans se douter qu'il est peut-être lui-même l'instrument d'une autre machi-nation (« Radieuse Étoile Verte ») ; un gangster en fuite qui cherche à percer le mystère d'une maison servant de car-refour à plusieurs plans de l'Au-delà (« Limbo ») ; une ville de Pennsylvanie visitée par d'étranges entités qui libèrent le potentiel créatif de ses habitants (« Des étoiles entrevues dans la pierre »), mais dans quel but et à quel prix ? Cinq

histoires originales, cinq plongées dans l'univers de Lucius Shepard, connu pour son style d'écriture assez particulier. Cinq incursions qui vous charmeront ou vous rebuteront, mais qui ne vous laisseront pas indifférent. Tel est le menu proposé dans **Sous des cieux étrangers.**

J'ai découvert Lucius Shepard par son roman de vampires, **L'Aube écarlate** (1993), qui renouvelait assez habilement le genre. Ce qui m'avait marqué le plus, à l'époque, c'était la prose élégante de l'auteur, remplie de phrases monumentales et de métaphores percutantes (trop, diront certains, mais quand on est disposé...) qui évoque celle des grands classiques qu'on nous fait étudier à l'école – excepté pour les sujets traités, puisqu'il s'agit ici de science-fiction et de fantastique. Les cinq novellas réunies dans **Sous des cieux étrangers** abordent ces genres avec originalité; elles pourraient donc intéresser autant l'amateur de science-fiction que celui de fantastique.

Lire Shepard demande cependant un effort particulier et les novellas réunies ici confirment la règle : il faut être disposé, tant en termes de temps que de facultés intellectuelles. Il faut aussi être capable de les lire pour le pur plaisir des mots, ce qui peut les réserver à une catégorie particulière de lecteur. J'ai aimé les histoires de ce recueil pour le souffle des descriptions, capables de vous faire ressentir la grandeur des panoramas décrits, qu'il s'agisse d'une scène spatiale ou de l'extérieur d'une maison hantée. Quand on referme le recueil, et ce fut le cas aussi en refermant **L'Aube écarlate**, les images suscitées par la lecture demeurent dans votre tête pendant très longtemps, tant vous y avez participé. Cette expérience à elle seule vaut un détour, et je crois que les jeunes auteurs devraient jeter un coup d'œil à la prose de Shepard, sans toutefois en copier le style, particulier et entaché de quelques défauts, avouons-le. En effet, si Shepard se montre divin dans ses descriptions, je dois avouer que ses dialogues et les interactions de ses personnages grincent. **L'Aube écarlate** présentait des dialogues pompeux, surannés, mais on pouvait excuser le fait, étant donné que l'action prenait place dans les années 1860. Or, les novellas réunies dans **Sous des cieux étrangers** présentent des dialogues semblables, lourds et pompeux, qui collent mal aux personnages ou qui sont surtravaillés pour sonner « populaire », sans réussir à convaincre. Quant aux interactions entre personnages, les histoires de Shepard incluent souvent des histoires d'amour entre des gens que tout éloigne, comme ces idylles truquées que les scénaristes hollywoodiens se sentent obligés d'inclure dans nombre de films – les répliques des amoureux, dans ce recueil, m'évoquent parfois celles des soaps américains. Des cinq récits, seul « Des étoiles entrevues dans la pierre » fait exception : les dialogues sonnent mieux et les relations entre les personnages semblent plus naturelles, on y croit davantage. C'est aussi l'histoire qui a fonctionné le mieux pour moi. Eh puis – je le répète – les descriptions sont divines !

Aborder les textes de Shepard demande donc certaines concessions, mais si c'est pour découvrir un auteur qu'on peut qualifier de « magicien des mots », ça en vaut la peine.

Philippe-Aubert CÔTÉ

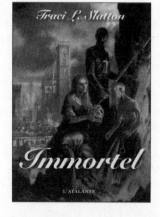

Traci L. Slatton
Immortel
Nantes, L'Atalante (La dentelle du cygne), 2009, 510 p.

Immortel est le premier roman de l'Américaine Traci L. Slatton, qui a publié auparavant quelques nouvelles et des poèmes. Elle nous livre, dans ce roman traduit en plusieurs langues, une monumentale chronique retraçant la vie de Lucas Bastardo, un jeune orphelin qui erre dans les rues de Florence au XIVe siècle. D'une érudition certaine, le roman transportera le lecteur dans l'effervescence de la Renaissance italienne le temps de quelques heures d'une lecture agréable.

Le personnage principal, Lucas, nous raconte, à l'approche de son exécution, sa vie bien remplie. Enfant, il ne connaît pas ses parents, mais plusieurs rumeurs courent à leur sujet, et Lucas, encore très jeune, est enlevé par Bernardo Silvano, riche homme d'affaire dont le business consiste à prodiguer, par le biais de ses protégés, divers services de nature sexuelle dans un bordel huppé de Florence. Silvano dit détenir un document présentant les origines de Lucas, document qui pourrait intéresser l'Église. Cruel, rusé et mesquin, le tenancier exploite les enfants pour les pires sévices sans aucune pitié et les

punit sévèrement lorsqu'ils tentent de s'évader. Lucas se lie d'amitié avec plusieurs autres enfants, dont Marco, qui finira dans les flots de l'Arno, le fleuve qui baigne la capitale toscane. Cette période marquera à jamais Lucas.

Le temps passera et le garçon apprendra à vivre dans cette ambiance malsaine et lourde du bordel, mais il ne vieillira pas, ou presque. Lorsqu'il atteint l'âge de trente ans, il en paraît à peine treize, et quelques notables commencent à remarquer l'enfant qui ne vieillit pas. Évidemment, Lucas se questionne sur sa propre personne et sur ses parents qui lui ont laissé cet héritage d'éternité. Il développera la capacité de s'abstraire de son corps pour visiter virtuellement des œuvres d'art, jusqu'à ce qu'il rencontre un peintre, Giotto, qui lui servira de guide spirituel et de substitut de père.

Lucas sera en conflit avec les Silvano pendant des années, plusieurs dizaines d'années, car un jour, il décide de se libérer du joug du tenancier en éliminant son bourreau, provoquant ainsi la haine séculaire que lui voueront les descendants du notable. Lucas deviendra tour à tour l'apprenti d'un alchimiste, l'apprenti d'un médecin juif, soldat, époux et père, tout en vivant une vie très longue où il y a présence d'une légère magie, particulièrement sous la forme de visions et de talents de guérisseur. En effet, Lucas possède certains dons, outre la longévité, et le plus intéressant d'entre eux est sa capacité à se lier à des notables italiens. Il sera modèle pour le peintre Giotto, qui l'aime énormément ; il côtoiera Cosme de Médicis et Lorenzo de Médicis, tous deux seigneurs de Florence ; il sera le mentor de Léonardo da Vinci et l'ami de plusieurs jeunes garçons prometteurs ayant marqué la Renaissance.

La présence du fantastique, outre la longévité de Lucas, est très ténue dans le roman, qui ne consiste pas vraiment en une quête, mais bien en la chronique de la vie de Lucas, un hybride entre un journal intime et une confession. Il est annoncé dès le départ que Lucas est emprisonné et sur le point d'être tué : il n'y a donc pas de suspense ou de péripéties. Le but du roman est de montrer comment, à travers près de deux cents ans de vie, Lucas a survécu et côtoyer les grands hommes qui ont façonné leur époque. Son existence même est teintée de mystère : on parle de sa famille comme étant des Cathares, un peuple jugé hérétique par l'Église, qui descendrait de Seth, le troisième fils d'Adam et Ève, qui aurait perdu un

enfant. Lucas, heureusement, possède un caractère fort et il ne se laisse pas marcher sur les pieds ni intimidé. Malgré quelques moments nostalgiques dont il se souvient avec émotion, il réussit à ne pas s'apitoyer sur son sort et à ne pas regretter l'existence qui est la sienne sans égard à celle qu'elle aurait pu être.

Incidemment, Lucas est très bavard et détaille avec faste les pans de sa vie, s'attardant sur les émotions, les souvenirs et les personnes qui l'ont marqué. Le résultat est un livre d'une qualité indéniable, mais où les actions font plutôt place à l'observation. Le lecteur friand d'aventures rocambolesque ou de suspense n'y trouvera pas son compte, mais celui qui apprécie de plonger dans l'ambiance d'une autre époque sera comblé. On regrettera par contre la lenteur du récit, qui aurait mérité d'être resserré, car certains moments de la vie de Lucas sont malheureusement sans intérêt et certaines pistes ouvertes par l'auteure ne trouvent pas de solution à la fin du roman, ce qui amène une certaine frustration, car l'auteure aurait bénéficié d'assez d'espace pour nouer tous les fils du roman.

Immortel demeure un roman qui vaut la peine d'être lu, à condition d'avoir assez de temps pour s'investir dans un récit lent aux détails époustouflants.

Mathieu FORTIN

Ce cent soixante-seizième numéro de la revue **Solaris** a été achevé d'imprimer en octobre 2010 sur les presses de Imprimeries Transcontinental inc., division Métrolitho.
Imprimé au Canada — Printed in Canada